Il est impossible
d'aller partou[illegible]
il suffit d'aller
loin

COMMENT ACQUÉRIR ASSURANCE ET AUDACE

Conception graphique de la couverture: Nancy Desrosiers
Photo: Michael O'Neill, retouchée par Nancy Desrosiers

DISTRIBUTEURS EXCLUSIFS:

- Pour le Canada et les États-Unis:
  LES MESSAGERIES ADP*
  955, rue Amherst, Montréal H2L 3K4
  Tél.: (514) 523-1182
  Télécopieur: (514) 939-0406
  * Filiale de Sogides ltée

- Pour la Belgique et le Luxembourg:
  PRESSES DE BELGIQUE S.A.
  Boulevard de l'Europe 117
  B-1301 Wavre
  Tél.: (10) 41-59-66
  (10) 41-78-50
  Télécopieur: (10) 41-20-24

- Pour la Suisse:
  TRANSAT S.A.
  Route des Jeunes, 4 Ter
  C.P. 125
  1211 Genève 26
  Tél.: (41-22) 342-77-40
  Télécopieur: (41-22) 343-46-46

- Pour la France et les autres pays:
  INTER FORUM
  Immeuble ORSUD, 3-5, avenue Galliéni, 94251 Gentilly Cédex
  Tél.: (1) 47.40.66.07
  Télécopieur: (1) 47.40.63.66
  Commandes: Tél.: (16) 38.32.71.00
  Télécopieur: (16) 38.32.71.28
  Télex: 780372

COMMENT ACQUÉRIR ASSURANCE ET AUDACE

JEAN BRUN
Lauréat des Arts, Sciences et Lettres

En finir avec la timidité

Données de catalogage avant publication (Canada)

Brun, Jean

Comment acquérir assurance et audace: en finir avec la timidité

1. Confiance en soi. 2. Timidité. I. Titre.

BF575.S39B78 1994 155.2'32 C94-940160-9

Dépôt légal: 1er trimestre 1994
Bibliothèque nationale du Québec

ISBN 2-8904-4524-0

Ce n'est point parce que les choses sont difficiles que nous n'osons pas; c'est parce que nous n'osons pas qu'elles sont difficiles.

SÉNÈQUE

L'homme est capable de se concevoir autrement qu'il n'est; par là, d'immenses possibilités de transformation lui sont offertes.

LA ROCHEFOUCAULD

L'homme que l'on sait timide est dans la dépendance des fripons.

BEAUMARCHAIS

Il n'y a qu'un moyen de savoir jusqu'où l'on peut aller, c'est de se mettre en route et de marcher.

HENRI BERGSON

Avant-propos

Nul n'a le droit de rester timide car le timide, quelle que soit sa valeur, ne réalise jamais ce qu'il est capable d'accomplir. Rares sont les personnes qui n'ont pas éprouvé les inconvénients de la timidité; mais tout aussi nombreuses sont celles qui se débarrassent de cette faiblesse par une rééducation qui comporte des exercices physiques et mentaux.

Le sentiment de timidité disparaît dès que l'on a appris à agir suivant les lois qui permettent de ne pas s'estimer inférieur aux autres et de ne pas se laisser dominer par eux.

Il est prouvé que la plupart des gens sont hantés par des sentiments qu'ils ne comprennent pas et qui les dépriment, par exemple, la crainte que d'autres personnes les surclassent, ou qu'ils sont et resteront des individus insuffisants, des citoyens de deuxième zone.

Il s'agit, en général, de résidus émotifs d'un passé dont l'action paralysante est néfaste si elle persiste dans la vie d'adulte. C'est ainsi que des milliers de gens emploient tout leur temps à faire ce que d'autres veulent qu'ils fassent. Vivre de cette façon, c'est vivre sous l'empire de deux contraintes: d'une part, les tentatives des autres pour tirer parti de vous, d'autre part, vos propres sentiments d'infériorité. Vous restez enfermé entre des barrières chargées d'émotions destructrices. Vous vous trouvez enchaîné hors du sens réel de votre vie, loin des satisfactions qui vous sont dues.

Le remède ne consiste pas à déterrer les mauvais souvenirs de votre enfance, mais à les oublier entièrement pour prendre en main la direction de votre propre vie. L'angoisse, la haine, la jalousie, le ressentiment déguisent des chocs émotifs éprouvés autrefois et cachés au plus profond de votre être. Une fois cette illusion démasquée, la crainte que peuvent vous inspirer certaines personnes disparaît; et aussi bien, si vous vous sentez coupable au sujet d'une mauvaise habitude, vous avez d'autant plus de chance de la conserver: le mieux est de ne pas s'en occuper à ce point de vue.

La psychologie moderne enseigne que vous n'êtes pas absolument lié par votre passé. Vous pouvez vous en affranchir en suivant des règles pour vaincre la honte, la confusion mentale, l'hésitation, l'indécision et acquérir de l'autorité, de l'ascendant. Ces règles de conduite vous donnent le moyen de surmonter les situations difficiles qui exigent du sang-froid, de l'assurance, voire de l'audace.

Dans la vie, vous êtes appelé à fréquenter deux sortes de gens: ceux qui donnent et ceux qui prennent. Pour chaque donneur, il y a mille preneurs qui essaient de s'accrocher à vous afin de vous obliger à donner à votre existence l'orientation qu'ils désirent donner à la leur. Votre première tâche est d'échapper à leur emprise, puis de les écarter de votre chemin.

La crainte de paraître inférieur paralyse beaucoup de personnes intelligentes mais insuffisamment maîtresses de leurs émotions. C'est ainsi que la personne timide perçoit d'une façon aiguë le désaccord intérieur qui résulte d'un manque d'harmonie entre ses impressions conscientes et les activités de sa personnalité subconsciente. Il en résulte un sentiment de gêne et de honte, trouble qui s'aggrave par les efforts qu'on fait pour y résister.

La timidité excessive provient de l'anarchie du fonctionnement des automatismes psychologiques dont le rôle est de libérer les forces vitales subconscientes. Ces forces se manifestent à contretemps, ce qui provoque une rupture momentanée de l'équilibre psycho-nerveux.

Le présent ouvrage précise comment il faut s'y prendre pour éviter les troubles de la pensée, combattre l'embarras, l'indécision, vaincre le désarroi, le trac, l'anxiété sous toutes ses formes. Lorsqu'une personne émotive est appelée à se produire en public, le trac peut la surprendre, trahir sa mémoire, lui enlever ses moyens. Vous surmonterez cet état pénible après avoir appris à rétablir, par un entraînement méthodique, l'équilibre entre les deux éléments de votre personnalité consciente et subconsciente, lesquels doivent marcher d'accord, malgré leurs caractères opposés.

Le traitement psycho-physique de la timidité vous donnera la confiance en vous-même et l'aplomb que vous désirez obtenir. Il vous libérera de la peur de vous montrer inférieur à la réputation que vous avez, ou à celle que vous désirez avoir. Votre personnalité deviendra plus hardie, plus vaillante, plus ferme parce que vous perdrez l'habitude d'exagérer l'importance des gens et de vous sentir diminué quand vous rencontrez un personnage que vous jugez supérieur.

Désormais, vous aurez plaisir à attirer l'attention des gens et à les traiter d'égal à égal, sans embarras, en privé ou en public.

CHAPITRE PREMIER

Les causes et les effets de la timidité

La timidité est une faiblesse morale, acquise dans la plupart des cas. Elle s'oppose à tout ascendant et à toute réussite si l'on n'arrive pas à la surmonter, car elle annihile les moyens que donnent l'intelligence et le savoir.

L'impressionnabilité exagérée, l'émotivité anormale, rejette hors du cadre social beaucoup de personnes bien douées mais qui n'arrivent pas à changer leur naturel timide en transformant l'hésitation en ardeur, la crainte en audace réfléchie.

Le timide cache son infirmité. Il feint d'être normal. Il porte un masque pour ne pas se laisser deviner. Il ne sait comment établir le contact avec les autres et il en souffre; il se dégage des relations sociales avec regret.

La timidité repose sur des bases d'infériorité, réelles ou imaginaires. La persistance chronique de ce sentiment d'incapacité, de doute de soi, est la cause secrète de nombreux échecs, de certains écarts de conduite, de drames en apparence inexpliqués.

L'attitude habituelle d'infériorité et la tendance à surestimer la valeur des personnes avec lesquelles on se trouve en rapport rendent les progrès lents et pénibles.

Cet état d'esprit ne permet pas, que ce soit sur le plan privé, social ou professionnel, de trouver son plein épanouissement, d'assumer des responsabilités plus grandes, d'agir au maximum de ses possibilités.

Êtes-vous gêné quand vous devez paraître, agir et parler devant le monde? Éprouvez-vous des sentiments d'angoisse dans ces diverses circonstances? Apparaissez-vous gauche et emprunté, en dépit de vos efforts pour affecter un air indifférent?

Si tel est votre cas, vous avez à vaincre le plus grand ennemi de votre réussite: une sensibilité trop grande à l'appréciation d'autrui vous plonge dans le désarroi, vous empêche de vous estimer à votre valeur et compromet vos chances de succès.

Dans l'accès de timidité, l'activité intellectuelle est à ce point obnubilée qu'elle ne laisse place à aucune autre idée que celle de la peur envahissante. Il est impossible de penser à autre chose, de juger, de raisonner: toutes les facultés sont diminuées et jusqu'à la mémoire qui vient à faire défaut.

Sous l'empire de l'émotivité, les forces intellectuelles sont paralysées, inhibées par l'émotion qui émousse l'énergie.

Si vous êtes affecté de manque de confiance en vos moyens devant un problème à résoudre ou en face d'un travail délicat à exécuter, vous êtes privé de vos ressources normales et vous risquez d'échouer lamentablement.

Seuls, le calme, l'assurance, le flegme, la tranquillité d'esprit auxquels viennent s'ajouter le pouvoir de concentration mentale et le pouvoir de suggestion vous permettront de réussir.

Les manifestations habituelles de la timidité: confusion, embarras, honte, rougeur ou pâleur subite, tremblement, crainte d'agir, proviennent de causes dont la connaissance exacte est indispensable pour en prévenir les effets, les combattre quand ils surviennent et en éviter le retour.

Pour faire disparaître le manque d'assurance en société et en public, c'est-à-dire l'incapacité d'exercer une autorité dans le cadre social, il faut connaître le mécanisme de l'instabilité psychologique du timide, rechercher l'origine du déséquilibre nerveux qui le fait douter de lui-même au point de perdre la maîtrise de sa pensée et le contrôle de ses actes.

La cause essentielle du trouble émotif impossible à surmonter réside dans une attitude mentale fausse, amplifiée par l'imagination mise au service d'une tendance affective dominante.

Les effets de l'accès de timidité subit et imprévu sont à la fois d'ordre physique et psychique. Ils proviennent de réactions involontaires et réciproques du corps et de l'esprit.

Ces réactions en chaîne désagrègent momentanément la personnalité; elles la laissent flotter à la dérive comme une barque sans gouvernail parmi les courants et les écueils.

Le moi conscient qui pilote l'esquif de la personnalité sur le fleuve impétueux de l'inconscient est alors livré à ses tumultes; il s'abandonne au dynamisme de ses forces obscures.

Chez les timides, la déviation du cours normal et raisonnable de la pensée a des origines émotives qui remontent souvent aux impressions de la première enfance, impressions qu'il faut découvrir pour les interpréter à la lumière de la raison et de l'expérience.

Le remède à la timidité est à la fois dans l'organisme qu'il faut fortifier, dans les nerfs qu'il faut calmer, dans l'esprit qu'il faut rendre clair.

Ne vous inquiétez pas si votre nature est timide. Vous avez dû beaucoup penser parce que vous vous êtes refermé sur vous-même. Vous êtes donc plus apte que d'autres à réussir dans le domaine des activités intellectuelles.

Les émotifs sont souvent très intelligents, portés à l'observation et à l'analyse, mais portés aussi à faire intervenir la pensée entre la tendance instinctive et le mouvement qui la suit. D'où la difficulté qu'éprouve l'émotif à s'adapter tout de suite et d'une façon complète aux changements de circonstances ou de milieu: il va au fond des choses, ce qui lui fait prendre du retard dans la voie de l'action.

Les gens bornés et vulgaires sont rarement timides: ils ne doutent de rien; ils sont inconsciemment hardis. Ne vous croyez pas inférieur si vous n'avez pas réussi jusqu'à présent à vaincre une timidité dont vous triompherez dès que vous serez prêt à la combattre.

Songez que les plus grands esprits ont été aussi des timides: Shakespeare, Newton, Carlyle, Washington, Descartes, Turenne, Kant, Spinoza, Stendhal, Mérimée, Ibsen, Tolstoï, Michelet, pour ne citer que ceux-là.

Dites-vous bien que seuls, les conflits sentimentaux non résolus, le défaut d'unité dans l'orientation de vos énergies, créent les divisions intérieures qui vous affaiblissent et vous font perdre confiance en vous et en vos moyens.

Pour combattre la timidité, le présent ouvrage donne des informations précises, des règles à suivre et des procédés à mettre en œuvre, suivant les cas qui peuvent se présenter. Par la confiance qu'un tel enseignement développera en vous-même, votre énergie vitale stimulée et dirigée modifiera votre allure, votre physionomie, l'expression de votre visage; elle vous donnera l'assurance et l'audace, le moyen d'être hardi et circonspect à la fois.

Vous ne connaîtrez plus cette hésitation qui laisse échapper le moment favorable, cette peur du ridicule qui paralyse vos initiatives, cet affolement qui, au milieu d'une démarche, trouble votre mémoire et vous fait oublier vos arguments.

Jamais plus vous ne souffrirez de ces angoisses insurmontables qui entravent votre réussite. Vous aurez une tranquillité d'esprit qui vous permettra de vous imposer, de dire tout ce que vous désirez, avec calme, certitude et précision.

Votre équilibre nerveux rétabli et affermi, votre santé psychique recouvrée vous donneront la sensation d'une individualité forte et saine devant qui s'ouvriront les portes du succès.

CHAPITRE II

Le mécanisme des émotions

L'émotion simple normale, agréable ou pénible, est une réaction d'épanouissement ou de défense produite par des modifications organiques brusques, d'origine physique ou psychique. L'état émotionnel ressenti marque l'effort de l'organisme pour s'adapter aux circonstances, aux chocs du milieu, par une réaction appropriée plus ou moins rapide et plus ou moins vive, suivant le tempérament du sujet.

Le choc émotif, physique ou psychique, s'il est subit ou inattendu, produit un ébranlement nerveux qui se transmet au sympathique, lequel répond par des mouvements divers dont nous ne sommes pas maîtres, mais dont nous prenons conscience sous forme d'émotion.

Le grand sympathique est considéré comme l'organe nerveux de la vie émotionnelle. Son centre principal, le plexus solaire, accumule la force nerveuse libérée par le choc émotif. Si la charge émotive dépasse la capacité du plexus, l'excitation se propage au loin, avec plus ou moins d'intensité, dans les autres centres nerveux. Il peut en résulter une série de modifications anormales dans l'organisme, qui tendent à se concentrer sur les éléments de moindre résistance: la réaction émotive dépasse en intensité et en durée ce que suppose, normalement, le choc ressenti.

D'une manière générale, l'excitation nerveuse atteint le cerveau, siège du moi conscient, puis le plexus solaire, et ensuite le nerf pneumogastrique; d'où arrêt de la respiration, par blocage du diaphragme, et constriction des muscles de l'estomac.

L'excitation actionne ensuite les centres nerveux qui commandent les mouvements musculaires et les sécrétions des glandes, ce qui donne lieu aux phénomènes caractéristiques de l'émotion qui sont des réflexes émotifs simples.

Les manifestations extérieures des émotions

L'émotion reflète les modifications correspondantes de l'organisme. Elle leur est secondaire mais elle ne peut se produire sans une action du cerveau; elle est la résultante d'opérations cérébrales multiples et coordonnées.

On ne saurait distinguer entre l'esprit et le corps, dans le mécanisme émotionnel: il n'y a qu'un seul organisme, avec des fonctions diverses qui retentissent les unes sur les autres.

Les réactions psycho-physiques déclenchées par une émotion amplifient l'émotion première, par choc en retour. Les influences réciproques peuvent s'exercer du moral sur le physique, puis, secondairement, du physique sur le moral, ou vice versa; mais toujours, persiste l'unité physique et psychique de l'individu.

Il y a imbrication des phénomènes physiques et psychiques: chaque mouvement corporel, qu'il soit volontaire ou réflexe, excite les centres nerveux et modifie le cours de nos pensées, l'intensité ou la nature de nos émotions.

Toute pensée accompagnée d'émotion, toute poussée affective, est liée à des mouvements en général inconscients, que l'on ne peut s'empêcher de faire.

Parmi les mouvements de nos muscles, il en est un grand nombre qui ne sont ni connus, ni voulus de nous: nous les exécutons sans nous en rendre compte; nous en avons, tout au plus, une vague conscience. De même, nos pensées et nos émotions sont, chaque fois, accompagnées d'un mouvement: modification dans le rythme du cœur, de la respiration; changement dans la pression du sang, dans la tension des muscles, dans la sécrétion des glandes, etc. Ces mouvements sont automatiques, involontaires et, en général, inconscients.

Le souci, la crainte, l'irritation provoquent la contraction inconsciente de certains muscles et, parfois, un tremblement partiel ou total du corps.

L'agitation déclenche une perturbation cérébrale ou affective qui se traduit sur le plan physique. Nos préoccupations, nos qualités morales, nos défauts, nos états d'âme se reflètent dans nos attitudes, dans notre regard, dans notre voix, dans nos gestes.

Lorsque nous éprouvons un certain sentiment, nous prenons une certaine attitude, nous adoptons un certain genre de conduite et nous ressentons dans tout notre corps les changements physiologiques appropriés.

Toute image mentale s'accompagne de manifestations physiques extérieures ou intérieures: l'émotion qu'elle déclenche peut contracter ou détendre les muscles, augmenter ou supprimer la sécrétion de certaines glandes, activer ou réduire la circulation du sang dans telle partie du corps.

Le psychisme de l'homme influence le fonctionnement de toutes les glandes, notamment des glandes endocrines dont le rôle est capital pour la santé, et qui peuvent se dérégler à la suite de chocs émotifs violents ou d'une contrainte morale prolongée.

La source vive de ces émotions fortes, qui font réagir violemment le physique et le moral, réside dans les tendances profondes de notre individu, celles qui nous poussent à rechercher certaines sensations et à accomplir certains actes.

Il y a là un pouvoir moteur en puissance, un état de tension susceptible de détente dans l'activité extérieure, ou d'arrêt dans la réflexion, dans l'attente, suivant le caractère des émotions.

Dans la plupart des cas, ce caractère ne se réduit pas à la contrepartie affective d'une tendance fondamentale de protection, de conservation ou de défense: il englobe des réactions qui s'opposent à l'expression de cette tendance, comme l'affolement ou la paralysie momentanée dans la peur, l'incohérence et l'agitation dans la colère.

Le débordement de l'énergie libérée par l'émotion se traduit alors par la réaction qui enveloppe et dépasse la réaction normale, systématisée; cette réaction se manifeste sous une forme inadaptée, sans orientation fixée par la raison.

L'émotivité et l'équilibre nerveux

On peut considérer l'émotion comme un court-circuit qui décharge les accumulateurs nerveux en s'accompagnant d'une tension ou d'une détente des muscles et d'une augmentation ou d'une diminution des sécrétions, ce qui modifie pour un moment les fonctions de l'organisme.

Le taux de l'émotion peut être normal, insuffisant ou excessif par rapport au choc qui la provoque. Chez un sujet de tempérament émotif, le système nerveux répond aux chocs intérieurs ou extérieurs par des réactions exagérées. Dans ce cas, il y a déséquilibre psycho-physique par excès de sensibilité en même temps que par insuffisance de l'arrêt, soit réflexe, soit volontaire, des mouvements liés aux émotions.

Lorsque le système nerveux est déséquilibré, désadapté pour une cause quelconque, le taux de l'émotion est disproportionné par rapport à l'importance du choc parce que la fonction régulatrice des centres cérébraux est affaiblie ou supprimée.

Le propre du tempérament émotif est une extrême sensibilité de cœur et d'esprit qui, si elle n'est pas corrigée, peut devenir morbide parce qu'elle entraîne une énorme dépense de force nerveuse, un gaspillage permanent d'énergie vitale.

Les timides sont des émotifs dont le système nerveux est en état de déséquilibre constant. Leur psychisme est instable; leur tonus vital oscille d'un pôle à l'autre, avec des états alternés d'excitation et de dépression.

On observe, chez de tels sujets, des périodes plus ou moins longues d'appréhension, de doute, de scrupule à l'occasion des actes les plus simples de la vie, en même temps que s'exagèrent les réflexes physiques et mentaux de l'émotion simple, sous l'effet d'une sensibilité anormale.

Le déséquilibre peut se faire sentir surtout dans le système nerveux central qui commande le psychisme, ou dans celui du sympathique qui régit les fonctions inconscientes de l'organisme.

On sait que les diverses glandes endocrines marchent de pair avec le grand sympathique; elles se suppléent et se règlent les unes les autres, de sorte que tous les appareils nerveux sont solidaires et réagissent ensemble.

Les glandes endocrines, dont la thyroïde est le régulateur en chef, contribuent à maintenir ou à rétablir dans notre corps l'harmonie, la mesure, l'équilibre psycho-nerveux.

Le déséquilibre nerveux par excès ou par défaut

Le déséquilibre peut avoir lieu par surabondance ou par manque de dynamisme. Il y a des excités nerveux qu'il faut calmer, et des déprimés qu'il faut entraîner à l'action.

Il y a aussi des sujets émotifs qui présentent des alternances d'agitation et de fatigue nerveuse, conséquence ordinaire de mauvaises habitudes physiques et mentales: vie mal organisée, absence d'ordre et de méthode dans le programme de chaque jour, contact de gens agités ou détraqués.

Dans tous les cas de déséquilibre nerveux, le manque de maîtrise de soi, les impressions et réactions exaltées ou déviées rendent la vie pénible pour l'émotif et pour son entourage. Le jugement vicié, les actes irréfléchis entravent le rendement professionnel du sujet et peuvent en faire un inadapté social.

Les troubles de la sensibilité

Les états d'enthousiasme ou de découragement, de confiance ou de doute, de gaieté ou de tristesse, d'excitation ou de dépression dépendent de la tension de notre réserve de force nerveuse, tension influencée par l'état de notre corps, par le fonctionnement de nos organes.

La bonne santé physique et psychique exige que notre énergie vitale se renouvelle et se dépense normalement: elle s'alimente à la source de nos émotions, de nos passions bien dirigées; elle se libère par nos actes, nos réalisations matérielles ou nos créations d'art.

Dans ce mécanisme alternatif, il ne faut pas risquer le déséquilibre nerveux par une dépense trop intense ou trop prolongée qui réduirait la réserve d'énergie au-delà de la limite permise.

Il ne faut pas non plus refouler systématiquement cette énergie, ce qui lui ferait prendre, sous la pression accumulée, une tension explosive.

En somme, il y a déséquilibre nerveux chez l'émotif, soit par hémorragie de la sensibilité, soit par congestion, avec une alternance possible de ces deux états.

Le sujet émotif, en général timide, peut épuiser son énergie nerveuse dans des chocs émotionnels violents, fréquemment répétés, ou bien dans une suite ininterrompue de petites émotions qui constituent la base de son comportement.

Dans les deux cas, la décharge excessive des batteries nerveuses rend l'esprit anxieux et confus, avec une sensation de déperdition de l'énergie, du courage, de la joie de vivre.

Chez les personnes qui s'ennuient, qui ne s'intéressent à rien, la tension nerveuse s'affaisse parce que les émotions saines — d'art, de nature ou d'ordre pratique — manquent pour renouveler la nappe profonde d'énergie vitale en mettant l'affectivité en éveil.

À certaines époques ou dans certaines circonstances de la vie, l'énergie sous tension s'accumule dans le système nerveux. Elle devient surabondante, en sorte que le sujet éprouve un besoin de détente qui aboutit à l'inquiétude vague, à l'angoisse nerveuse, par congestion de sensibilité.

L'affectivité peut aussi être emprisonnée, refoulée inconsciemment par une peine du cœur ou une défaillance du sexe. Il faut alors mettre à jour la plaie secrète et purger la sensibilité en libérant l'émotion dont le refoulement est à la base du trouble.

L'individu humain, quel que soit son tempérament, cherche d'instinct à équilibrer les recettes et les dépenses de son budget nerveux, mais il n'y parvient pas toujours.

L'émotif excité, exubérant par nature ou par principe, libère son énergie sensible sous une tension modérée par un débit continu, il manie ses batteries nerveuses d'une façon souple; tandis que l'émotif renfermé, d'apparence placide, les décharge par à-coups d'autant plus violents que l'émotivité a été plus longtemps contenue.

Les crises de décongestion brusque sont un fait coutumier chez les timides dont l'emballement soudain s'exprime par des explosions émotives ridicules ou tragiques, en actes de courage, d'audace, de sacrifice, mais parfois aussi de vilenie, de débauche ou de dépravation.

CHAPITRE III

La psychologie du timide

Le timide est un grand émotif qui se raidit en apparence parce qu'il souffre de son excès de sensibilité.

En présence des femmes, notamment, l'homme timide se rétracte, malgré son besoin d'affection; ou bien il se livre à des avances maladroites et blessantes: son esprit contrefait, trop ardent à désirer, l'empêche d'être simple, naturel.

La retenue du timide provient du mensonge intérieur qui le porte à dissimuler son vrai visage par crainte de se montrer inférieur dans les contacts sociaux, ce qui le rend à la fois clairvoyant et soupçonneux.

Le timide observe ce que chacun fait et dit, pour l'analyser avec méfiance. Il prend souvent en mauvaise part des actes infimes qu'il détourne de leur signification parce que ses propres faits et gestes ne traduisent pas ses sentiments exacts et qu'il pense qu'il en va de même chez les autres. La sensibilité exaspérée du timide le conduit à cacher ses émotions intimes et à se montrer froid, impoli ou cynique, par réaction de défense.

Hanté par le désir de perfection en amour ou en amitié, s'il lui arrive d'inspirer l'un ou l'autre, il trouve que la réalité ne correspond pas à son rêve: celui d'un absolu qui n'existe pas.

La timidité et la crainte de l'action

En général, le timide repousse ce qu'il désire, de peur d'être dupe. Il éloigne les gens par sa froideur apparente et il se plaint de leur indifférence. Il en est réduit, finalement, à l'amour de soi: de sa vie d'auto-analyste et de pessimiste.

C'est la seule issue à l'émotivité morbide d'un esprit inflexible qui n'admet pas les divers degrés de la vérité dans le relatif et qui renonce à goûter aux joies de la vie réelle par crainte de ne pas conquérir totalement ce qu'il désire.

Le timide a le sentiment qu'il ne peut pas communiquer avec les autres, qu'il est fait pour vivre seul. Il s'entoure d'une barrière intérieure. Il finit par s'isoler pour ne plus vivre qu'en lui-même. Il devient facilement jaloux des joies auxquelles il ne participe point.

S'il est libre de ruminer des idées dans la sphère mentale, le timide n'est pas libre de ses mouvements affectifs et corporels. Il ne se sent pas en parfait équilibre. Il a l'impression qu'il ne trouvera pas, dans un cas donné, le mot à dire ou le geste à faire. Il manque du pouvoir de mobiliser instantanément ses ressources pour faire face aux situations imprévues.

Le timide peut avoir des idées justes voire originales, mais il est incapable de les appliquer. Il est enclin à tout prévoir dans le détail et à se demander ce que vont penser les autres; d'où une tendance invincible à l'immobilisme.

Le timide craint les responsabilités par une sorte de lâcheté morale. Il s'abstient d'agir par manque d'émulation, de contacts sociaux. Il se réfugie dans l'indolence mentale et physique et se complaît dans un isolement voulu qu'il tend à idéaliser.

Le manque de points de comparaison fait qu'il s'exagère ses mérites: il se montre fanfaron et présomptueux en théorie, réticent et pusillanime dans la pratique.

Cette contradiction, entre les actes et les pensées du timide, éloigne la sympathie et provoque même une certaine froideur envers sa personne.

L'attitude psycho-morale du timide

Le caractère du timide est compliqué, multiple, ondoyant et contradictoire. Il est hésitant, irrésolu, insaisissable; son attitude est inconsistante: il n'arrive pas à la fixer, elle varie suivant les circonstances. Le timide ne peut s'imposer l'effort de maintenir une ligne de conduite déterminée.

La personnalité du timide est mal dégagée parce qu'il renferme en lui des natures qui s'opposent: le *moi apparent idéal* qu'il affiche et voudrait avoir, le *moi réel agissant* qui se croit inférieur à ce que le sujet veut paraître et qui le fait agir avec la sincérité du moment.

Le moi réel apparent, c'est le masque d'indifférence que prend le timide en public pour déguiser sa personnalité: aspect réservé et réfléchi, attitude distante et froide; alors qu'il est souvent un enthousiaste impulsif qui manque de contrôle et de maîtrise dans ses actes et dans ses réactions.

Le moi apparent du timide, c'est aussi la duplicité qui lui fait dissimuler sa vraie nature pour se donner, aux yeux des autres, l'apparence de l'audace, en forçant la note par l'outrecuidance, la vanité et, parfois, l'effronterie.

Le timide est dissimulé par honte à affirmer sa personnalité véritable, à se montrer et à se faire valoir tel qu'il croit être.

Il s'efforce de cacher son moi réel sous un moi fictif qu'il affuble de présomption et d'outrance sans en être troublé tant qu'il est sûr de garder son masque.

Il n'en éprouve pas moins une gêne morale qui se traduit par une gêne physique coutumière, au point qu'il perd facilement contenance par suite d'un embarras visible, difficilement supportable.

D'où les paroles désordonnées du timide, ses gestes inopportuns, ses éclats excessifs, l'entêtement dont il fait preuve à l'occasion pour éviter l'embarras que pourrait lui causer l'adoption d'une attitude plus normale.

La timidité dans les pensées

Chez le timide, la perte de contenance, le balbutiement sont dus au manque d'énergie morale. Le sujet ne peut maintenir dans son esprit l'image qui lui suggère le mot exact pour la traduire; la représentation de l'idée est floue, nébuleuse, sans contours précis.

Le timide, isolé volontaire, ne communique ses pensées à personne, ou bien il les dévoile imparfaitement, s'il ne les déguise pas.

Mal compris, de ce fait, il se replie sur lui-même. Dès lors, il ne subit plus d'impressions contradictoires qui pourraient lui faire pressentir l'effet de son attitude sur autrui.

Il lui est difficile de reconnaître les inconvénients de la rumination mentale solitaire et de faire effort pour combattre cette mauvaise habitude.

Le raisonnement du timide se trouve vicié par une attitude égoïste; car si l'on est dominé par une impulsion exclusive, on cherche des arguments pour avoir raison malgré tout: les arguments des autres paraissent sans valeur.

Le jugement est déformé par le défaut d'harmonie mentale, de coordination des pensées: le sujet obéit à la tendance momentanée des états affectifs, des émotions dominantes; il ne voit rien au-delà.

En somme, le timide amplifie en pensée tout ce qui le touche; il minimise ce qui ne l'intéresse pas directement; il ne tient pas compte des opinions ou des arguments des autres tellement il est certain de leur non-valeur.

Persuadé de son importance, le timide aime à jouer le rôle d'un personnage dont on admet la supériorité. Il craint de ne pas briller suffisamment; sa vanité instinctive lui fait croire qu'il est le point de mire de l'entourage; s'il se déconcerte, c'est parce qu'il pense captiver l'attention au point de voir chacun préoccupé de ses moindres gestes.

Dominé par l'émotion de la vanité à satisfaire, il déforme les faits pour se faire valoir aux yeux des autres, se donne une apparence d'aplomb en exagérant ses moyens; il finit par croire réel ce qu'il a imaginé.

Le manque d'aplomb conduit à la vantardise, de sorte que le timide est volontiers vantard. Mais par contre, il est souvent son propre dupe: confiné dans son isolement, dépourvu d'expérience pratique, rien ne lui paraît difficile de ce qu'il n'a pas eu l'occasion de tenter.

En réalité, il n'a pas le sens de la proportion, de la mesure; c'est un pusillanime capable de lâcheté morale, mais effronté par exagération systématique. Il manque d'envergure, de larges aspirations, pour lui trop vastes; le fond de sa pensée est mesquin; son égoïsme s'effare à l'idée d'une complication qui viendrait troubler sa quiétude, qui le ferait sortir de son isolement mental.

La timidité dans les sentiments

Le timide est incapable de parler à cœur ouvert; il n'est pas expansif parce qu'il est frappé momentanément de stupeur, d'un trouble émotif qui ne lui permet plus de coordonner ses pensées.

Par une honte morbide qui l'empêche de se montrer tel qu'il est, le timide ne peut communiquer ses impressions intimes: il ne fait point d'échanges sentimentaux, il ne s'abandonne pas, il ne confie rien de lui-même; mais il accepte sans émotion ni gratitude tout ce qu'on lui offre.

Le fait de témoigner une apparente indifférence à autrui et même de repousser les expansions, au lieu de les solliciter, provoque un manque de réciprocité quant à la sympathie que le timide peut éprouver à l'égard de certaines personnes, sentiment qu'il est impuissant à leur faire partager.

Froissé par le dédain, blessé dans son amour-propre, le timide extériorise de moins en moins ses émotions. Il se terre, il se renferme. Il devient mécontent de lui-même, aigri, jaloux, susceptible, peu disposé aux mouvements généreux d'aide, de secours, de protection envers autrui.

Ne communiquant pas ses impressions, il est mal compris de son entourage et il s'en irrite: il en veut à ceux qui ne savent pas le deviner; il est irritable parce qu'il se croit mésestimé, méconnu. Le raidissement, le désir de retraite, viennent de ce que le timide, humilié au fond de lui-même, se sent inférieur. Il ne s'estime pas; sa honte est accrue par le manque d'expansivité.

Dès lors, il grossit les petits ennuis de l'existence, il méconnaît les joies qu'elle lui offre. Il est enclin à voir le pire à la suite des déceptions et des affronts, à attendre des échecs définitifs.

Finalement, le timide devient défiant et atrabilaire. Il se croit jalousé et objet de mauvais vouloir. Son dépit et ses rancunes le poussent à prouver aux autres ce qu'il est — ou ce qu'il croit être — par des projets mûris, ressassés dans le silence et qui explosent au hasard de l'instinct une fois déchaîné.

La timidité dans les actions

L'esprit flottant du timide, en face de l'action, ne voit que l'inconvénient des décisions à prendre; il est plein d'appréhensions devant l'obstacle. Faible et impulsif, le timide dispose d'une volonté explosive qui flanche aussitôt parce qu'elle est constamment à la remorque des émotions.

Le timide se surveille, il prend des précautions avant d'agir; mais il n'arrive pas à faire en temps voulu le geste opportun, de sorte que la préoccupation de ce geste devient lancinante, au point qu'il cherche à se débarrasser vivement de l'acte pour soulager sa tension nerveuse.

D'où les actes discordants que le timide accomplit, parfois avec une effronterie et une audace apparentes, sans considération de bienséance ni d'opportunité.

Avec une franchise brutale, il se montre fâcheusement agressif quand il s'agit de braver une opinion qu'il sent lui être hostile.

Vaniteux et outrecuidant parce qu'il se croit supérieur aux autres, le timide, à certains moments, piétine les susceptibilités, froisse les amours-propres, heurte les convictions, tout cela pour se faire craindre, espère-t-il.

Dans sa conduite, il se grise de mots, force la note, s'emballe, quitte ensuite à se résoudre à un acte qui soutienne ses bravades.

Capable du meilleur comme du pire, esclave de ses nerfs, le timide s'abstient de toute activité ou il agit soudain avec une violence intempestive, avant de s'effondrer et de s'isoler. Faussement audacieux par coups de boutoir, il présente des crises d'effacement et d'abattement d'autant plus fortes que le coup de boutoir a été exagéré et inopportun.

La timidité dans les relations sociales

Le timide ne sait pas se servir des mécanismes sociaux dont l'usage est nécessaire pour agir efficacement sur les autres; il ne sait pas s'adapter aux conduites sociales.

Dans la vie de société, le succès dépend moins de ce qu'on dit que de la manière dont on le dit. Or le timide désire, au fond, ce qu'il affecte de mépriser: il change toujours d'avis, et il n'arrive jamais à savoir exactement ce qu'il veut. Il ne sait ni se surpasser, ni dominer les autres. Il craint la moquerie, la raillerie. Il a peur d'avoir le dessous, d'être humilié.

S'il tente de convaincre les autres de ce qu'il désire obtenir d'eux, il le fait avec une telle appréhension qu'il n'arrive pas à les persuader, sa pensée étant toujours en avance sur l'acte à accomplir, au lieu de se concentrer sur celui-ci.

Le timide est brusque à cause de la gêne qui l'angoisse et qui lui ôte l'expansion avec la sociabilité. Il parle à tort et à travers, d'un ton tranchant, sans trouver les termes choisis qu'il désire pour exprimer sa pensée ou ses sentiments. Il tâche de dissimuler son trouble par un débit rapide, un ton bref, des gestes précipités.

Les gens à l'allure libre et souple, à la mine souriante, à la parole aisée et sûre sont enviés par le timide. Il considère avec méfiance, et non sans quelque mépris, les personnes qui savent se faire écouter, accepter et qui, finalement, s'imposent.

Par suite de la contradiction entre les pensées et les actions du timide, ce dernier s'imagine déchoir à ses propres yeux s'il fait une concession à l'opinion des autres. Il se cantonne dans son propre jugement et refuse de le modifier; il adopte une attitude intransigeante et hostile, parfois agressive.

La nature peu communicative du timide l'écarte de tous les avis qui pourraient modifier son opinion, de sorte que les moindres contacts sociaux avec telle ou telle personne prennent une importance et un sens qui s'affirment brutalement selon les craintes ou l'aversion qu'elle lui inspire.

Sur ce terrain, propre à engendrer l'envie et l'animosité, le timide s'accoutume à l'idée d'accomplir le geste qui le vengera le mieux de son humiliation, de sa fausse honte, sans égard aux conséquences dommageables, pas plus qu'au ridicule personnel ou au ressentiment provoqué chez autrui.

L'opposition entre le moi individuel et le moi social du timide engendre, chez lui, deux personnalités différentes qui apparaissent alternativement: il peut se montrer raide et dur, voire tyrannique, dans les fonctions sociales ou professionnelles et sans autorité ni prestige dans la vie privée.

Vantard et autoritaire à l'extérieur, par compensation, il peut être plat devant les chefs et prendre sa revanche sur les subalternes, sur les faibles, sur ceux qui ne l'impressionnent pas. Il croit se prouver ainsi à lui-même qu'il peut être capable d'énergie.

D'une manière générale, le manque de fermeté et l'absence de combativité du timide font qu'il est soumis au milieu dès qu'il est délivré de la contrainte des obligations extérieures. Il se conforme aux mouvements automatiques imposés par l'éducation et l'habitude afin de se soustraire aux confusions ridicules et aux hontes sans cause auxquelles le pousse son caractère.

CHAPITRE IV

La physiologie du timide

L'émotivité excessive est une infirmité morale qui expose le timide à manquer sa vie, alors que son esprit aiguisé et son intelligence souvent très vive devraient lui mériter les premières places.

Les accès de timidité et de peur panique devant le monde s'accompagnent de perturbations plus ou moins discordantes dans le fonctionnement des organes et dans les mouvements des muscles. Ces phénomènes réflexes donnent lieu à des troubles de la circulation et de la respiration, de la motricité, de la sensibilité, des sécrétions glandulaires et de l'équilibre nerveux.

L'accès de timidité se produit après une émotion subite qui déclenche une crise fonctionnelle dans l'organisation physiologique du sujet, crise qui atteint rapidement son maximum d'intensité.

L'émotion primitive engendre un certain désordre physique et mental qui a un centre et une source. Ce désordre, plus ou moins apparent, témoigne de l'effort fait pour s'adapter à des circonstances différentes. Le trouble organique et psychique peut être provoqué par l'apparition d'un événement imprévu qui contrarie les désirs du sujet ou qui, au contraire, les favorise.

Il peut aussi provenir d'un accident de l'adaptation au milieu, d'une rupture d'équilibre qui se produit en présence d'un événement auquel le sujet n'est pas préparé à faire face.

Le timide fait un puissant appel à ses ressources d'énergie pour se montrer à la hauteur de la situation; mais il lui est impossible d'utiliser efficacement et pleinement cette énergie.

Il se tend pour mobiliser ses forces et pour s'adapter: si son effort réussit, il fait le geste utile, et son émotion se calme; s'il échoue, une agitation extrême s'empare de lui, déclenchant la crise émotionnelle.

Quand le timide ne réussit pas à exécuter l'action qui convenait, son énergie émotionnelle se dépense en une succession d'actes inutiles, de mouvements désordonnés qui résultent de l'échec de l'effort d'adaptation.

Il y a agitation cérébrale, puis viscérale: l'énergie mobilisée et mal employée tend à se répandre dans les voies de moindre résistance qui répondent à la constitution physiologique particulière du sujet.

Elle se décharge en général dans le sympathique, ce qui peut soit exciter les nerfs du cœur ou des vaisseaux, soit exciter le nerf vague et provoquer une dépression psycho-physique passagère.

Si l'énergie est assez intense pour n'être pas absorbée en entier par les phénomènes viscéraux profonds, il y a agitation motrice sous forme de tics nerveux: gesticulation, cris, tremblements, fuite.

Enfin, l'agitation mentale est un élément de trouble qui s'ajoute aux autres et les amplifie: afflux désordonné d'idées, d'images, de paroles, ou fuite de l'attention, de la mémoire, vide momentané du cerveau accompagné de mutisme.

Les perturbations émotives physiques

Pas d'émotion sans modifications organiques: toute émotion non surmontée se répercute aussitôt dans l'ensemble du système nerveux et tend à y produire des mouvements discordants. Ces mouvements peuvent correspondre à des objets imaginaires: idées fixes, hallucinations, obsessions.

Une excitation émotive anormale du système nerveux provoque l'agitation musculaire, le rire convulsif, la volubilité, les gestes maniaques, les mouvements irréguliers et involontaires, tels les tics de la face.

Les muscles de la face sont très mobiles; ils donnent lieu, chez les timides, à des jeux d'expression variés et variables: les vives émotions agréables entraînent, par réflexe musculaire, la dilatation des pupilles.

Les muscles du corps présentent, sous l'effet de l'émotion, des contractions involontaires qui affectent surtout la poitrine, les jambes, les bras, les épaules, la gorge. L'effort de volonté fait pour résister à ces contractions accentue le trouble.

Lorsque le trouble se prolonge, on observe une perte de l'harmonie des mouvements que le sujet ne parvient plus à coordonner. Il apparaît gauche, maladroit, embarrassé de sa personne parce qu'il n'est plus maître de ses réactions. Il éprouve une faiblesse subite, accompagnée d'un raidissement des muscles. Ce manque de coordination extérieure est le signe des oscillations de la volonté du sujet.

Les spasmes musculaires déterminent des crampes, une crispation des lèvres, des joues, de la langue, des cordes vocales, un tremblement des mains, des bras, etc., ou un tremblement de tout le corps.

Dans les troubles physiques de la parole, on observe un débit précipité ou saccadé, un déclenchement brusque de la diction ou bien un spasme généralisé des muscles de la face et des cordes vocales, qui fait bégayer ou bredouiller l'orateur, s'il ne le condamne pas au mutisme.

Sur le plan physique, l'orateur privé de ses moyens éprouve de la difficulté à respirer. Sa respiration est en partie bloquée par le resserrement des muscles du thorax, comme lorsqu'on éprouve une peur subite.

La compression de l'énergie en surplus, sa retenue systématique, influence la motricité dans le sens de la privation de mouvement, de la paralysie, de l'incapacité totale d'agir.

Les perturbations émotives sensibles

La rupture d'équilibre nerveux par excès d'émotivité s'accompagne de troubles organiques et fonctionnels qui intéressent notamment la respiration, la circulation, la digestion, la sécrétion et qui influent sur la sensibilité générale.

Les troubles fonctionnels des différents organes résultent de perturbations dans le rôle du système nerveux sympathique et du plexus solaire.

Le déséquilibre cérébro-sympathique engendre l'angoisse nerveuse, état latent chez les personnes timides et qui devient facilement chronique, avec tendance à l'obsession simple ou compliquée.

L'état anxieux se manifeste par des crises émotives plus ou moins espacées qui se font sentir aussi bien dans le domaine organique que dans le domaine psychique. Cet état d'inquiétude présente tous les degrés, de l'idée fixe fugace à la manie du scrupule, à la phobie, aux idées noires, à la timidité oppressante avec déséquilibre occasionnel du jugement et de la volonté.

Chez le timide anxieux, l'angoisse ou l'obsession atteint son maximum quand il doit accomplir un acte important de la vie: visite, démarche, décision à prendre. Pendant cette période de paroxysme, le sujet éprouve un sentiment d'oppression, accompagné de battements désordonnés du cœur.

> *Troubles de la respiration.* Sensation d'étouffement par contraction involontaire des muscles du thorax, accélération du rythme respiratoire, spasme du diaphragme, toux émotive, voix qui s'affaiblit et soudain détonne, faux emphysème.

Ces divers troubles, dus à l'excitation anormale de la fonction respiratoire, peuvent se transformer en troubles inverses, plus ou moins prononcés, si le sujet est enclin à la contrainte personnelle, à l'inhibition plutôt qu'à l'excitation.

> *Troubles de la circulation.* Palpitations, accélération des battements du cœur, variations du rythme cardiaque, vertige, avance des règles, bouffées de chaleur au visage, rougeurs profuses dont le sujet peut être obsédé, tension artérielle alternativement trop haute ou trop basse.

Ces troubles correspondent à des spasmes vasculaires où prédomine la dilatation des vaisseaux. La pâleur subite, la tachycardie, la syncope, la suppression des règles, le faux asthme, la fausse angine de poitrine correspondent à une constriction dominante des vaisseaux sanguins.

Troubles de la digestion. Voracité, spasmes des voies digestives et biliaires, aérophagie, par excitation; perte de l'appétit, nausées, coliques, ictère émotif, stase gastrique et intestinale, par inhibition. Les émotions, les soucis, l'état moral ont une influence énorme sur toutes les fonctions digestives.

Troubles de la sécrétion. Salivation, larmes, sueur froide, transpirations profuses, hyperacidité gastrique, diarrhée nerveuse, entérite nerveuse, par excitation; soif, bouche et gorge sèches, hypoacidité gastrique, constipation opiniâtre, par inhibition.

Troubles de la sensibilité. À la longue, les perturbations ci-dessus retentissent sur le tonus général de la sensibilité organique. Elles affaiblissent plus ou moins ce tonus et produisent des anomalies dans la perception des sensations, avec une atrophie ou une hypertrophie alternative des sensations normales.

Les troubles sensoriels d'origine psychique consistent en des sensations de fourmillements, de battements, de pincements, de refroidissement, douleurs localisées en des régions diverses; ils proviennent de spasmes autosuggestifs.

Il en est souvent de même des troubles visuels, notamment du strabisme et des vices de l'accommodation; ces troubles s'amplifient lors d'un choc émotif ou sous l'effet de soucis ou de chagrins prolongés.

Les troubles génitaux consistent en spasmes nerveux de l'urètre, de l'utérus, des trompes ou en vaginisme par constriction involontaire des muscles du vagin. En dehors des spasmes organiques, on observe la frénésie sexuelle par excitation ou la frigidité, l'impuissance par inhibition chez les grands émotifs.

On peut ranger dans cette catégorie de troubles la transpiration abondante des mains, les sudations localisées qui s'accompagnent souvent d'éruptions de la peau: urticaire, eczéma, psoriasis, furonculose.

Les perturbations émotives psychiques

Le trouble psychologique qui caractérise l'émotivité morbide consiste dans la perte de la confiance en soi et de la maîtrise de soi.

Dans l'accès de timidité, le moral se trouve obnubilé et comme séparé du reste de la personnalité; aucune démarche personnelle de la volonté du sujet n'est plus possible.

Chez le grand timide, l'angoisse nerveuse ralentit l'activité des centres psychiques supérieurs: attention, mémoire, jugement, raisonnement; l'excès d'inquiétude rend le sujet inconsistant, hésitant, irrésolu, versatile.

Le trouble psychologique paralyse la volonté consciente quand le sujet doit aborder une personne importante ou étrangère, affronter un examen, un concours, un auditoire.

Le timide éprouve brusquement une sensation d'infériorité, avec perte du calme et de la présence d'esprit; ce qui le rend confus, gêné, embarrassé. Son esprit s'embrouille, ses idées se troublent puis s'arrêtent, ou bien elles défilent à toute vitesse dans son cerveau, échappant à son contrôle.

Dès cet instant, le sujet ne parle plus, il ne répond plus ou bien il bafouille parce que son cerveau ne joue plus le rôle de régulateur, de contrôleur de la force nerveuse.

Il s'agit d'un trouble circulatoire qui ralentit le passage du sang dans le tissu cérébral et place l'organisme dans un état voisin de la syncope.

Dans la syncope, le cœur cesse de battre pendant un temps plus ou moins long, d'où une perte de conscience qui dure jusqu'à ce que la circulation normale du sang ait repris son cours.

Cet état montre la solidarité qui existe entre le cœur et l'activité du cerveau. Il correspond à un arrêt momentané de la vie psychique par manque d'irrigation sanguine par les artères cérébrales: il se produit une stase par dérivation émotive trop forte du courant sanguin, ou par action sympathique sur le centre nerveux qui commande les contractions du muscle cardiaque.

Les troubles d'affaiblissement du psychisme dus à un phénomène analogue produisent la perte de mémoire, le trac, l'apathie intellectuelle, le désintéressement, la prostration; les troubles d'exaltation engendrent les idées fixes, les impulsions maladives, les fugues, les accès de colère, les crises de désespoir.

À la longue, l'épuisement nerveux engendre une fatigue qui se manifeste par des troubles du caractère: irritabilité, découragement, abattement, somnolence, faiblesse générale, insomnie, rêves pénibles, sensation de fatigue au réveil.

Chez l'hyperémotif, le déséquilibre constant du système nerveux modifie le tonus vital tantôt dans un sens, tantôt dans l'autre, avec des périodes qui alternent de surexcitation et de dépression. Dans la période d'excitation, le sujet déborde d'activité. Tout lui semble facile. Il supporte aisément les déceptions, les déboires, ou bien il réagit par de courtes colères brusques qui montrent son fond irritable. Puis, après quelque temps, une période de dépression apparaît pendant laquelle le sujet trouve toute initiative douloureuse, où tout effort lui paraît impossible à fournir. La société lui pèse, ses facultés mentales sont émoussées, son sommeil coupé de fréquents réveils.

Les perturbations émotives des glandes endocrines

Les hormones produites par les glandes endocrines président aux échanges nutritifs, aux transformations chimiques nécessaires à la vie de l'organisme. Les sécrétions de ces glandes sont liées aux mouvements des nerfs et des muscles. Elles sont influencées par les émotions et les sentiments, c'est-à-dire par la vie affective.

Les personnes timides à l'excès souffrent de troubles endocriniens qui affectent la santé générale; elles sont sujettes à l'auto-intoxication, aux vices du sang, ou bien à la léthargie, à la consomption, à la prédisposition aux maladies microbiennes.

La vie créatrice, l'activité sociale, la joie intérieure dépendent des glandes endocrines qui règlent et contrôlent l'énergie potentielle de l'organisme.

Le caractère de chaque individu, son tempérament physiologique, sa prédisposition aux maladies infectieuses, sa jeunesse prolongée ou sa vieillesse précoce et toute espèce de désordres physiques et mentaux sont en rapport étroit avec le bon fonctionnement du système endocrinien, lequel comporte un certain nombre de glandes enchaînées les unes aux autres.

Chacune de ces glandes a sa mission particulière: par le canal naturel du sang, ses hormones vont commander, animer ou ralentir telle ou telle fonction des différents appareils organiques.

La glande *hypophyse,* appendice du cerveau, règle la croissance, développe les glandes germinatrices et détermine les caractéristiques physiques propres à chaque sexe.

La glande *thymus* développe et entretient la solidité de nos os. Le *pancréas* influence la nutrition en transformant certaines substances en éléments chimiques assimilables.

Les capsules *surrénales* agissent sur le cœur pour régler la circulation sanguine; elles neutralisent aussi beaucoup de substances toxiques qui se forment dans l'organisme.

Les glandes *germinatrices,* ovaires chez la femme, testicules chez l'homme, commandent tout ce qui touche à la sexualité, à la procréation; elles donnent la vigueur physique, la vitalité, la résistance.

Au sommet, la glande *thyroïde* régularise l'ensemble des fonctions de l'organisme: influx nerveux, lucidité cérébrale, circulation, digestion, transpiration, etc. Elle est la glande de la rapidité d'action, alors que les glandes surrénales sont celles de l'énergie qui permet la continuité de l'effort.

La glande *thyroïde* est sensible à toutes les influences psychiques, de sorte que l'ensemble du système glandulaire est intimement lié à l'affectivité et à l'intelligence.

Les troubles des sécrétions hormonales, qu'ils aient lieu par excès ou par défaut, affectent à la fois le psychisme et le système nerveux. Ils entraînent des chocs en retour par l'intermédiaire du sympathique: l'état moral et mental trouble les sécrétions; le déséquilibre de celles-ci réagit sur le psychisme.

C'est ainsi que la timidité, forme morbide de l'émotivité, est sous la dépendance de l'activité de la glande thyroïde. Si cette activité devient subitement trop grande sous l'effet de l'émotion, elle prive le sujet de ses moyens en inhibant plus ou moins son psychisme.

D'une manière générale, sous l'influence des émotions et des sentiments, les glandes endocrines sécrètent des sucs qui peuvent être bienfaisants ou nocifs de par leur quantité ou leur nature.

L'automatisme glandulaire de la vie organique

La volonté consciente permet d'utiliser l'organisme pour accomplir des actes volontaires: pensée, parole, mouvements; mais la vie organique est également faite d'actes inconscients, fonctions, opérations d'assimilation et d'échange, sur lesquels notre volonté n'a aucun pouvoir. En somme, si notre volonté consciente nous permet d'utiliser notre organisme, nous ne pouvons pas commander directement les fonctions qui assurent la vie de ce dernier.

Toutes nos fonctions inconscientes sont sous le commandement de nos glandes à sécrétion interne. C'est le système constitué par ces glandes qui assure le fonctionnement automatique des divers appareils assemblés, fonctionnement dont la marche normale est à la base de notre équilibre vital, de notre santé physique et psychique.

L'automatisme de la vie, le réglage précis de nos organes, le fonctionnement harmonieux de nos cellules, tout cela nous le devons au travail de nos glandes endocrines, qui conditionne ainsi l'activité de nos fonctions physiques et mentales.

Les glandes endocrines ont été disposées par la nature à tous les points stratégiques de notre corps. Elles se servent des vaisseaux sanguins comme d'un réseau de tubes pneumatiques, pour distribuer inlassablement des messages sensoriels, des ordres rythmés qui commandent non seulement notre circulation, notre nutrition, mais aussi notre énergie mentale et notre puissance sexuelle.

La perte de la puissance sexuelle est le symptôme poignant de la déficience de l'organisme et du déséquilibre nerveux qui sont, le plus souvent, à l'origine de la timidité maladive. Dans ce cas, l'organisme manque plus ou moins d'une hormone sexuelle vitalisante provenant des cellules ou tissus placés entre les glandes génératrices masculines. Les ovaires féminins produisent aussi une hormone spéciale qui affecte la vitalité sexuelle de la femme.

Toutefois, la timidité morbide ne provient pas d'une cause isolée, glandulaire ou psychologique, mais d'un ensemble de causes intimement liées par le fait que les glandes endocrines réagissent les unes sur les autres.

La cohérence et l'harmonie du système endocrinien

Les glandes endocrines n'agissent pas isolément, chacune pour son compte; elles fonctionnent en liaison étroite avec les autres glandes. L'activité de chacune d'elles dépend très largement de l'état de santé et d'activité de toutes les autres. Cette interdépendance fait le danger des perturbations et des déficiences des glandes endocrines.

Si notre époque connaît tant d'anomalies de cet ordre, c'est que le surmenage physique et mental, devenu la règle, provoque progressivement, chez la plupart des individus, un déséquilibre des fonctions glandulaires et, par conséquent, un déséquilibre vital plus ou moins accusé.

Les troubles endocriniens par défaut, par excès ou par altération des sécrétions, tiennent une grande place comme symptômes morbides caractérisant la timidité et la nervosité, d'autant que les glandes endocrines jouent un rôle primordial dans la détermination du tempérament et dans l'état momentané de la personnalité.

Les sujets affectés de ces troubles sont mécontents. Ils se plaignent d'être toujours fatigués ou énervés, angoissés, sous pression. Ils se trouvent trop maigres ou trop gras, ils pensent que la vie n'a pas de sens, ils s'ennuient et ils ne savent pas se distraire. Ils perdent la mémoire et vieillissent prématurément.

Ces troubles communs aux timides, aux inquiets, aux angoissés dénotent une déviation de tempérament, déviation en rapport avec le fonctionnement des endocrines qui règlent l'état du corps, de l'esprit, des humeurs et jouent un rôle important dans le développement et les variations de la personnalité.

Les signes de déséquilibre glandulaire

On est en bonne santé physique et mentale quand on se sent capable d'exercer sans fatigue une activité puissante et régulière, alimentée par le jeu harmonieux de toutes les fonctions.

Un tel équilibre n'est pas une question d'âge. Certains ne l'ont jamais connu, d'autres le conservent bien après l'âge mûr; c'est une question d'équilibre des glandes endocrines.

Si nos glandes sécrètent mal, trop ou pas assez, pour une cause physique ou psychique, tout le système organique se dérègle, et l'usure quotidienne ne se répare pas suffisamment.

S'il arrive que nos glandes s'anémient, les messages transmis par les hormones ne produisent plus leur effet. Les ordres rythmés ne parvenant pas à destination, l'harmonieuse activité des fonctions organiques fait place à l'anarchie. La circulation sanguine subit de dangereux à-coups: le cœur se détraque, la respiration se fait mal, la digestion est pénible, les réactions nerveuses s'appauvrissent ou interviennent à contretemps. La mauvaise digestion prive les tissus de nourriture, d'où anémie et amaigrissement. Les poisons alimentaires ne sont plus chassés du corps, d'où intoxication lente, rhumatisme, urémie.

C'est pourquoi le timide hyperémotif éprouve de la fatigue permanente: il dort mal et le sommeil ne le repose pas; il assimile mal la nourriture et son corps est sous-alimenté en même temps qu'il est intoxiqué par les poisons alimentaires.

Le dérèglement de la circulation des hormones se répercute sur toutes les possibilités vitales: mémoire, lucidité, force musculaire, puissance sexuelle, résistance à la maladie, etc.

Avec le sentiment d'infériorité, de timidité exagérée, de peur de l'échec, le sujet hyperémotif vit physiquement et moralement comme dans un brouillard. Il est diminué en tout point, condamné, bien avant l'âge, à subir les infirmités de la vieillesse.

CHAPITRE V

La rougeur émotive et le trac

Le timide honteux et rougissant en présence d'une ou de plusieurs personnes éprouve un malaise physique, une souffrance morale et une impression de confusion mentale qui lui donnent envie d'être ailleurs.

Comme le timide éprouve la crainte naturelle, souvent dissimulée, de dire ou de faire quelque chose qui puisse lui porter préjudice, la crise de rougeur vient du fait — réel ou supposé — qu'il se trouve en présence de gens qui l'observent et peuvent mal le juger, surtout s'il n'est pas habitué à leur contact.

L'accès correspond à l'exagération du sentiment d'abaissement de soi-même, c'est-à-dire de la tendance à reconnaître les droits de la suprématie, de la force supérieure et de l'agressivité des autres individus. Le sujet réalise sa propre infériorité — réelle ou imaginaire — devant des gens qu'il considère supérieurs en culture, en beauté ou dans un domaine quelconque.

Cette tendance prédomine dans les tempéraments réticents, réservés; la coexistence chez eux, de deux sentiments opposés, abaissement et affirmation de soi, peut s'exprimer par une violente rougeur, résultat du conflit émotionnel dont le caractère est celui d'une vive détresse.

Les réactions de honte et de pudeur

La honte éprouvée par le timide qui rougit en public est due au sentiment, réel ou faux, de la faiblesse ou de l'indignité personnelle, présente ou passée; tandis que la pudeur qui fait monter le sang au visage exprime la crainte qui hante le sujet de perdre sa propre estime avec celle des autres.

Il s'agit d'une émotion sociale éprouvée dans des situations où une incursion possible de la part d'autrui dans le for intérieur du sujet menace de compromettre la valeur qu'il attribue à sa personnalité, c'est-à-dire de lui faire perdre quelque chose de la dignité et de la considération auxquelles chacun croit avoir droit.

Cet état affectif provoque une perturbation intense de l'équilibre du système nerveux, lequel réagit sur le plan physique en dilatant les vaisseaux capillaires; d'où l'afflux sanguin dans les régions hautes et externes du corps, très riches en vaisseaux de cette nature.

La honte, qui fait monter le rouge aux joues et au front, marque, de la part du sujet, une attitude rétractile associée à la contrariété qu'il éprouve de ne pouvoir se dérober à un contact pénible. Par sa rougeur, son embarras, sa façon de se détourner, de baisser les yeux, le sujet exprime son désir d'échapper à la contrainte, de fuir, de se dégager de l'entourage.

L'accès de rougeur émotive est favorisé par la vanité, jointe au manque d'estime de soi, c'est-à-dire par l'amour-propre exagéré et par un désir excessif de produire une impression favorable, sans être sûr d'y parvenir.

Le sujet n'est pas certain de sa valeur. Il doute de ses attraits, de ses qualités ou de ses mérites, mais il veut être estimé ou admiré. L'envie de briller, d'être remarqué et approuvé, et la peur d'être mal jugé créent un conflit psychologique d'où résulte l'émotion, accompagnée de rougeur violente.

Le sujet n'a pas un caractère assez souple pour s'adapter rapidement au milieu social. Il soupçonne les gens de nourrir des intentions secrètes à son égard, il ignore ce qu'ils peuvent penser de lui, s'ils lui veulent du bien ou du mal; mais il a un souci extrême de leur opinion et il s'inquiète de leur jugement.

En public, si le timide honteux se sent observé, il ne sait comment s'y prendre avec les gens, comment leur parler, sur quel ton, dans quelle attitude; il ne sait ce qu'il doit dire, ce qu'il peut faire et son angoisse provoque une crise de rougeur émotive. De là, il n'y a pas loin à l'obsession de l'idée que l'on va rougir si l'on rencontre certaines personnes ou des gens inconnus.

Pareille autosuggestion aboutit à multiplier les crises de rougeur et à les rendre fatales. Il faut combattre au plus tôt cette phobie qui rend l'existence bien amère à ceux qui en sont atteints.

Le mécanisme de l'accès de rougeur

Le timide honteux rougit au moment même où il a besoin de son sang-froid, au moment où il désire être calme et à l'aise afin de produire une bonne impression.

Brusquement, et sans que le sujet n'y puisse rien, le sang lui monte à la tête, le désarroi le gagne, ses joues se colorent d'un rouge ardent. À la pensée qu'il rougit et se trouble, le sujet rougit davantage, devient encore plus confus, par une suite de réactions psycho-physiques qui s'enchaînent et s'amplifient tour à tour.

Le timide ne rougit pas quand il est seul ou en compagnie de personnes dont le contact lui est familier; il se trouble s'il croit être l'objet de l'attention de personnes qui ne le connaissent pas ou dont il redoute l'autorité ou l'influence.

En public, si le sujet doit se lever, adresser la parole à quelqu'un ou bien s'il est interrogé, questionné, interpellé, il se sent mal à l'aise, perd contenance et rougit.

Il rougit parce qu'il éprouve, à tort ou à raison, des craintes de toutes sortes: crainte d'être critiqué, d'être gauche, de mal s'exprimer, d'être mal compris, de paraître inférieur, de commettre quelque erreur, maladresse ou incorrection. L'émotion éprouvée par le sujet est d'autant plus vive qu'il a conscience que son visage est la partie de son corps vers laquelle se dirigent les regards; son attention se porte sur cette idée et cela le fait rougir davantage encore.

Par la suite, le timide se souvient d'avoir rougi dans telle ou telle circonstance. Quand il se trouve devant une situation analogue, il lui semble qu'on l'observe, qu'on l'étudie et que le même trouble va l'envahir; ce qui ne manque pas de se produire.

Sans parler de cette sensibilité exacerbée à l'appréciation d'autrui, l'imagination excessive du timide lui fait se représenter si vivement les circonstances qui le font habituellement rougir que l'accident se renouvelle à tout coup.

Lorsque le sujet est seul, il peut lui arriver de rougir au rappel de quelque émotion violente ou au souvenir de quelque erreur sans gravité, d'une faute légère, d'un soupçon plus ou moins légitime à son égard.

Le timide rougissant révèle ses peurs, justifiées ou injustifiées, ses sentiments cachés. Cela lui est fort pénible, tant que l'expérience de la vie ne lui a pas fait comprendre la nécessité de rejeter la crainte et le doute, d'acquérir une personnalité plus hardie, plus vaillante, plus ferme, capable d'exercer un contrôle plus grand sur sa sensibilité et sur ses émotions.

Les manifestations extérieures de la nervosité

Le timide rougissant est un hypernerveux, sujet à des mouvements involontaires superflus, et même nuisibles, des muscles de la face, des yeux, de la bouche, de la tête ou du corps.

Les personnes qui se passent fréquemment la main dans les cheveux ou sur le front, qui se tiraillent l'oreille et le bout du nez, qui se rongent les ongles, bâillent en public, se mordillent les lèvres, poussent des soupirs ou éclatent d'un rire qui sonne faux, trahissent leur déséquilibre psycho-nerveux, leur manque de contrôle des activités mentales et affectives.

Les tics nerveux que le timide surmonte difficilement, grimaces inconscientes, clignement d'yeux, hochements de tête, haussements involontaires des épaules, contorsions de la physionomie, s'effectuent machinalement, par action devenue réflexe sous l'effet de l'habitude.

Les tics — activités bizarres et hors de propos — témoignent d'une nervosité intérieure qui doit être enrayée et surmontée. Comme la rougeur maladive, ils deviennent tyranniques en prenant la forme de mauvaises habitudes qui constituent une menace pour la santé et un signe avant-coureur de maladies nerveuses.

Le tiqueur doit se soumettre à un régime, à un entraînement physique et mental qui le débarrassera graduellement d'une tare préjudiciable au pouvoir d'attention, à la puissance de travail, au bonheur et au succès.

Les manifestations extérieures du trac

Beaucoup de musiciens, d'artistes, d'avocats, de conférenciers et, en général, de nombreux intellectuels sont les victimes du trac à cause de leur nature sensitive, impressionnable à l'excès.

Le trac est un cas spécial de la timidité par émotivité anormale sous l'influence de laquelle le sujet perd ses moyens. Il devient impuissant à se faire valoir parce qu'il éprouve une crainte exagérée de cette émotivité même.

Lorsqu'une personne s'est affranchie de toute timidité, de toute crainte émotive du public, elle n'est plus sujette au trac qui annihile la conscience, l'intelligence et la volonté.

Le trac revêt d'habitude la forme d'un excès d'inquiétude, avec impression de découragement et d'abattement, accompagnée d'oppression, de suffocation par resserrement de la région épigastrique.

Cette réaction de fatigue, d'où dérive le trac, se produit chez certains sujets avant d'entreprendre l'action redoutée, ou tout au début de celle-ci. Elle suspend leur désir d'affirmation et dévalorise l'acte à leurs propres yeux. D'autres réagissent au milieu de l'acte, de la discussion: ils abandonnent leur tâche, leur performance ou leur opinion sans plus combattre; ils jettent l'éponge avant la fin.

Tout le monde connaît le trac qui saisit l'orateur ou l'acteur pendant quelques secondes, au début de son entrée sur une scène ou de son discours à la tribune. Le cœur bat à coups précipités et violents; la respiration s'accélère. Les artères capillaires de la peau se contractent, la pâleur envahit le visage. Les muscles du corps se tendent et sont pris de tremblements; le corps se recroqueville; les mains s'ouvrent et se ferment. La bouche devient sèche, on éprouve une forte tendance à bâiller.

Le trac devant le public est, en général, intermittent. Il se manifeste suivant les circonstances, l'auditoire, l'état physique aussi de celui qui affronte les regards braqués sur lui et qui, à certains moments, reste calme et en possession de ses moyens.

La personne qui parle, déclame, joue d'un instrument de musique ou chante en public est, le plus souvent, d'une nature changeante qui la laisse sous le coup du trac, lequel peut la surprendre, trahir sa mémoire, la réduire à un état passif qui fait mal augurer de son talent.

Les plus grands orateurs comme les meilleurs acteurs avouent presque tous avoir ressenti le trac au début de leur carrière. Chacun l'a surmonté par le développement de l'empire sur soi-même, de l'estime de soi, de la confiance en soi et par un entraînement psycho-physique qui permet de dominer suffisamment ses émotions pour ne rien perdre de ses moyens.

Le trac aux examens

Le manque de sang-froid et de calme devant l'examinateur ou le jury provient de l'attitude mentale du sujet timide, dont l'émotion s'amplifie d'autant plus qu'il affirme lui-même son sentiment d'incapacité ou d'infériorité.

Constamment entretenu avant l'épreuve, le complexe d'infériorité passe dans le subconscient. Celui-ci se trouve, dès lors, dominé par une sorte de hantise, de crainte toujours prête à introduire le désordre dans la pensée et dans les actes.

La pensée étant fixée sur la difficulté de l'examen et la peur de l'échec, l'attention volontaire du candidat devient insuffisante pour lui permettre de répondre avec discernement aux questions posées.

Le candidat est désemparé, commandé par les réactions aveugles du subconscient. S'il ne reste pas muet de saisissement, il répond n'importe quoi pour se débarrasser de la tension nerveuse qui l'oppresse. Parfois, il tente de réfléchir, mais il a oublié l'essentiel de la question qu'on lui pose. Il assiste impuissant à son angoisse, il perd le contrôle de ses nerfs et il devient la proie de son émotion croissante.

Le trac aux examens s'accompagne de désordres organiques: impatience, agitation, crampes d'estomac, tremblements, sécheresse de la bouche, affolement, palpitations, etc.

Quand on connaît le mécanisme de ce trac, son origine, ses répercussions psycho-physiques, il devient facile de s'en délivrer en coupant la racine du mal, qui réside dans une imagination déréglée et dans un subconscient mal orienté, mal entraîné.

Le trac sexuel

Cette forme de timidité — préjudiciable entre toutes parce qu'elle peut fausser la direction de toute une vie — procède de ce que, dans la société moderne, les relations entre sexes sont, en général, devenues graves, sinon dangereuses, en raison des conséquences décisives qu'elles entraînent pour le bonheur ou l'organisation pratique de la vie.

Les considérations de religion et de morale, de traditions familiales ou de conventions sociales, de risques physiques et de dangers légaux, font que les conduites sexuelles ne semblent pas simples comme chez les peuples primitifs. Devenues choses délicates, elles exigent de l'énergie, de la prudence et de la maîtrise.

Ces qualités ne sont pas le fait des timides qui se sentent inférieurs dès qu'un acte exige de l'initiative, de la prévision et comporte une large part de responsabilité.

Comme le timide a souvent une notion fausse de la sexualité, par manque d'éducation sérieuse sur ce sujet dans l'adolescence, sa peur de l'échec en est accrue. Il est conduit à faire un pas de clerc ou à s'abstenir pour ne pas risquer de complications futures.

Le trac du bégaiement

Le bégaiement, les défauts de prononciation et les difficultés de parole en général peuvent avoir une cause d'ordre physique ou psychique. Lorsque la cause essentielle est physique, des influences morales s'y ajoutent et aggravent le cas. Le trouble d'origine psychique qu'éprouve le bègue est le résultat d'une grande nervosité, d'une surexcitation émotive, accompagnée de la peur de déplaire, d'être inférieur aux autres, de ne pas réussir.

Le bégaiement n'est pas une tare que l'on apporte avec soi, en venant au monde. Il n'est pas un signe d'infériorité ou de débilité mentale; beaucoup de personnes d'une haute intelligence et d'une grande force de caractère en ont été affligées.

Le bégaiement débute, dans l'enfance, par une articulation défectueuse, la prononciation imparfaite de certains sons, le plus souvent après une grande frayeur, un accident ou une maladie grave.

Le temps n'arrange rien, car dès que l'enfant élargit le cercle de ses contacts sociaux et commence à fréquenter l'école, il est en butte à l'ironie et aux sarcasmes de ses camarades. Il se sent inférieur à eux et il évite le plus possible leur contact.

Bientôt, des arrêts se produisent dans l'élocution de l'enfant: quand il veut parler, les muscles de son cou et de son visage se crispent, sa respiration est coupée, des spasmes incontrôlables agitent sa bouche; le mot à dire s'étouffe dans sa gorge; il lui faut livrer bataille pour prononcer la moindre syllabe.

Des manifestations nerveuses, tremblement convulsif des lèvres, palpitations causées par la crainte de ne pouvoir s'exprimer, d'être un objet de risée, augmentent le défaut qui devient une cause de réelle souffrance.

À mesure qu'il avance en âge, le bègue devient plus conscient de son infériorité, donc plus timide, moins disposé à parler en public ou devant des gens qu'il ne connaît pas.

Il désire vivement s'affranchir d'un défaut qui compromet son succès, son bonheur et son avenir; mais il constate, en général, l'inutilité de ses efforts bien qu'il puisse parler couramment quand il est seul ou quand il évolue dans une atmosphère amicale.

Le bègue peut s'améliorer et guérir par une éducation respiratoire et par un traitement mental qui tend à réduire à des proportions normales l'émotivité, l'excitabilité et l'impulsivité foncières du sujet.

CHAPITRE VI

Les origines physiques de la timidité

La timidité émousse l'énergie, fait douter de soi et manquer l'occasion de nombreux succès. Elle entrave le rendement professionnel, la réussite sociale; elle compromet la santé et le bonheur. Les réactions imprévues et exaltées du timide, ses crises d'abattement, de découragement, dues à un état permanent de fatigue, réservent une vie pénible à lui-même et à son entourage.

D'une manière générale, le sujet timide est susceptible, ombrageux, méfiant, pessimiste, volontiers jaloux du succès d'autrui; son excès d'inquiétude, ses hésitations, son manque de volonté le condamnent à la dépression nerveuse.

Le déprimé nerveux est incapable d'effort physique ou mental important. Il se tient allongé, plutôt qu'assis ou debout; il fuit l'agitation, le contact social. Il est amer, irritable, dégoûté de tout, par suite de son impuissance à vouloir et à agir.

Dans les cas extrêmes, le timide est dans un état voisin de la neurasthénie: il fixe difficilement sa pensée sur un même sujet; il préfère rêver éveillé dans l'inaction, ruminer les mêmes idées; son cerveau marche à vide, ce qui accroît la dépression par une fuite constante d'énergie nerveuse.

Le sujet timide est un hyperémotif à constitution plus ou moins psychopathique. Il est, le plus souvent, névropathe par hérédité, prédisposé au déséquilibre nerveux. La cause héréditaire de déséquilibre est souvent aggravée par l'influence de parents émotifs qui sapent l'assurance naturelle de l'enfant, déjà plus ou moins névropathe, détruisant, chez lui, la tendance à l'initiative.

Les névroses d'épuisement

On peut citer en premier lieu, comme cause physique de timidité, la faiblesse nerveuse et mentale avec dépression, faisant suite à une maladie infectieuse grave ou au surmenage du corps et de l'esprit.

Le système nerveux est alors déséquilibré par l'agitation fébrile, le bruit, la hâte, la précipitation. Affolé par l'entourage, le sujet — qui n'a pas les nerfs solides, de par sa constitution — réagit avec violence par des gestes excessifs et désordonnés. Il s'effondre quand il a épuisé de la sorte la plus grande partie de sa réserve d'énergie vitale.

Dans le monde actuel, où l'on doit accomplir rapidement une suite d'actions différentes, toutes difficiles, il faut demeurer alerte, attentif: on ne le peut pas dès qu'on se trouve déprimé, épuisé par le labeur professionnel ou le contact social.

À la base de beaucoup de psycho-névroses dont souffrent les personnes timides, on trouve les véritables travaux forcés que la vie impose aux sujets émotifs, peu résistants par nature. La névrose d'épuisement s'accentue par l'effet du contact habituel avec une ou plusieurs personnes névrosées. La présence de ces personnes oblige l'entourage à réagir en dépensant beaucoup d'énergie vitale, par suite de leur manie de dominer, de discuter à tout propos et de compliquer les choses. Si le sujet timide n'est pas déprimé au début, il s'épuise au contact d'un conjoint névropathe, par exemple, et devient névropathe à son tour.

Les déficiences organiques

Toute émotivité exagérée, accompagnée d'un état plus ou moins profond de déséquilibre, correspond à une déficience organique du système nerveux, du cœur, de l'estomac ou de tout autre viscère.

Ces troubles se rattachent à des perturbations ou à des anomalies de fonctionnement du système de glandes endocrines. L'hyperémotivité, associée à l'angoisse, au bégaiement, etc., est manifestement un trouble d'origine endocrinienne. La timidité marche de pair avec l'insuffisance ou l'instabilité des sécrétions de la glande thyroïde et aussi avec l'insuffisance des sécrétions des glandes ovarienne, hypophysaire, surrénale.

Les hyperthyroïdiens, au contraire, ne sont pas timides: ils sont actifs, remuants, entreprenants. Ils cherchent à se produire et à occuper la première place; ils peuvent, si leur caractère se transforme avec l'âge, devenir agressifs et batailleurs.

On s'explique ainsi que la timidité puisse s'atténuer ou disparaître, soit d'une façon définitive, à l'occasion des transformations organiques qui accompagnent la puberté, soit par intervalles, au cours d'une période d'instabilité des sécrétions de la glande thyroïde.

C'est ainsi que le retour d'âge, aussi bien chez l'homme que chez la femme, amène des transformations organiques de nature à remplacer la timidité par une attitude de décision, d'assurance, d'autorité.

En ce qui touche le bégaiement, il a d'abord une cause physique qui est la forte réaction du muscle du diaphragme, conséquence d'un changement de la voix dans la prime jeunesse.

L'enfant s'efforce de commencer à parler en respirant à pleins poumons, en les remplissant d'air au maximum comme dans le phénomène inconscient du hoquet. Il s'habitue à cette façon de procéder, et il est obligé de s'arrêter souvent en débitant sa phrase. Ensuite le défaut s'accentue, puis la crainte de rester à court suffit pour provoquer le réflexe d'arrêt de la diction. Dans les instants de repos et de détente, il arrive à beaucoup de bègues de parler couramment; mais l'arrêt involontaire se reproduit dans les moments d'énervement ou de souci, ou bien devant des personnes redoutées: maîtres ou supérieurs.

Dès cet instant, les causes psychiques deviennent prédominantes: c'est l'attention, la gêne ou la sympathie des personnes qui entourent le bègue qui provoque, chez lui, la réaction psycho-physique de blocage; il redoute le bégaiement avec les affres qui l'accompagnent.

Au point de vue du simple mécanisme organique, le bégaiement provient d'un manque de concordance entre l'émission du souffle et l'articulation des mots; d'où l'utilité de compléter la cure mentale par une rééducation physique.

Certains enfants deviennent bègues parce que leur imagination déborde d'ardeur au point que les mots en arrivent à devancer la pensée: ils choisissent un mot, puis le rejettent à peine commencé, pour en entamer un autre qui, immédiatement, se trouve remplacé dans leur esprit et ainsi de suite.

La timidité, le manque de précision dans les idées et l'impatience que l'on a de les traduire en paroles peuvent provoquer le bégaiement occasionnel, soit parce qu'on ne sait pas nettement ce qu'on veut et ce qu'on doit dire, soit parce qu'on est ému, irrité ou qu'on veut parler trop vite.

Le surmenage physique et mental

L'inquiétude incite le timide à une forte dépense d'énergie pour accomplir dans le moindre délai les actes professionnels ou sociaux qui lui sont imposés. La hâte d'aboutir le met dans un état fébrile qui, par habitude, lui devient indispensable pour passer à l'action.

Ce cercle infernal dans lequel s'enferme l'hyperémotif le conduit au surmenage, à la fatigue et, finalement, à l'épuisement nerveux.

En matière de fatigue, il ne faut pas confondre la courbature musculaire, d'origine chimique, avec la fatigue nerveuse qui résulte d'un excès de tension mentale.

Les associations de pensées au cours du travail intellectuel exigent un effort plus grand de la part des cellules nerveuses de l'écorce cérébrale que les associations de mouvements de nos muscles en exigent des cellules médullaires qui les contrôlent.

Les mouvements de la marche, par exemple, sont passifs et automatiques: la force nerveuse motrice circule d'une façon réflexe de la moelle au muscle et de celui-ci à la moelle. Au contraire, le fait de composer un texte et de le taper demande à chaque instant de nombreux actes cérébro-musculaires coordonnés, en vue de penser et de frapper sur les touches en même temps.

Le surmenage intellectuel et la fatigue qui en résulte intéressent aussi bien l'enfant qui va à l'école, l'adolescent qui prépare sa carrière, que l'adulte qui passe ses veilles à exécuter des travaux supplémentaires pour se procurer un supplément de ressources.

D'une manière générale, le surmenage consiste dans l'aggravation de la fatigue normale par des efforts de plus en plus disproportionnés avec les capacités du sujet.

Le sujet hyperémotif effectue un prélèvement direct sur son capital d'énergie nerveuse. Il se ruine sans s'en apercevoir parce qu'il est, durant un certain temps, soutenu par ses nerfs.

L'excitation maintient la volonté d'action, mais la machine n'obéit bientôt plus. Dès que les batteries nerveuses sont à plat, l'intelligence est tout entière affectée dans ses éléments essentiels: attention, mémoire, volonté, etc.

La chute de tension nerveuse provient, le plus souvent, d'un manque d'équilibre entre le repos et le travail, instabilité à laquelle s'ajoutent les soucis d'ordre affectif tels que l'ambition, l'émulation, la compétition, les déceptions en amitié ou en amour, voire les revers de fortune.

Chez l'enfant en période de croissance, le corps dispose d'une quantité limitée d'énergie, ce qui suppose des résultats également limités dans le développement mental; d'autant que le développement musculaire, par l'exercice, soutire l'énergie disponible pour le travail intellectuel. Pendant cette période, ce qui est gagné en vigueur et en endurance physique compense la lenteur des acquisitions dans le domaine mental.

Une fille se développe de corps et d'esprit rapidement et elle cesse de croître relativement tôt. Le développement du garçon est plus lent. Il est encore relativement balourd, maladroit de corps et d'esprit, à l'âge où la fille est mûre, sa structure physique achevée et toutes ses facultés en plein essor.

L'origine du surmenage

Tout organe qui grandit trop vite s'arrête tôt dans sa croissance. Il en va ainsi pour le cerveau qui, au début, offre une large masse de substance avec une structure imparfaite.

Souvent, les enfants précoces s'arrêtent court et déçoivent ainsi les espoirs des parents.

Une excitation cérébrale trop forte exerce une influence déprimante sur le corps en affectant profondément la circulation et la digestion.

Les troubles de l'estomac, chez l'enfant et chez l'adulte, résultent fréquemment d'une excitation mentale qui dépasse le niveau permis; de même que l'on perd l'appétit à la suite d'une grande peine ou d'une grande joie. L'excitation cérébrale permanente produit des troubles viscéraux moins violents mais chroniques: le cœur descend de soixante-douze battements à soixante et même au-dessous; les maux d'estomac apparaissent; le sommeil est court et coupé; la dépression mentale n'est pas loin.

Chacun sait qu'on claque un cheval en le menant à la cravache dès le départ, en lui imposant un travail énorme. Avec les enfants, il faut agir avec une sage modération quand il s'agit de nourrir leur esprit: ne pas les gaver de connaissances indigestes alors que la chose essentielle réside dans la mise en ordre des faits acquis et dans l'élaboration d'un code d'application de ces faits à la vie pratique.

Le surmenage se signale par la fatigue qu'il engendre et la lenteur à apprendre qui s'ensuit. À quelque temps de là vient, pour l'enfant comme pour l'adulte, une autre manifestation: la paresse mentale.

La paresse habituelle est favorisée, chez l'enfant, par l'état physiologique de croissance, au cours duquel le sujet dépense toutes ses réserves pour accroître la taille et le poids de son corps, en sorte qu'on peut considérer cette période de la vie comme une convalescence accompagnée parfois de mouvements fébriles.

Il ne faut pas oublier l'influence du tempérament, qui est l'expression du fonctionnement du système des glandes endocrines. À l'âge scolaire, c'est le lymphatique qui prédomine, c'est-à-dire le tempérament peu fourni en énergie, volontiers mou, sans ressort.

La glande surrénale qui trempe la personnalité est alors en sommeil, à l'état de graine qui, bientôt, va germer et pousser. Elle commande l'énergie: son développement suscite de l'irritation, des éclats de colère de la part de l'enfant quand il est vivement contrarié.

Par contre, la glande thyroïde qui commande à l'émotivité, à l'impressionnabilité, fonctionne à plein. C'est la glande de l'intelligence, de la compréhension, de l'excitation et aussi de l'indiscipline. Elle donne à l'enfant cet air primesautier qui plaît et cette intuition rapide qui lui tient lieu de jugement. En revanche, elle porte le sujet à suivre les caprices fugitifs de son imagination: il se fixe difficilement et pour peu de temps; son attention est rapidement fatiguée.

Un enfant émotif, accablé de leçons et chargé de devoirs, devient vite indifférent au système éducatif imposé ou bien il s'épuise à le suivre. Dans le premier cas, la paresse systématique — sorte d'indolence organisée — est une réaction de défense contre le surmenage.

Vers neuf ans, après la deuxième dentition, la puberté commence. Elle brouille tout ce qui existait auparavant, et ceci jusqu'à quatorze ans. Puis, pendant cinq ans, l'équilibre est perturbé par une glande nouvelle venue: il oscille sans répit au cours de l'adolescence.

Pendant cet intervalle, l'émotivité du sujet croît jusqu'à son comble. L'impressionnabilité s'accompagne de crainte nerveuse, d'inquiétude sans raison ou d'angoisse. Le caractère change, la spontanéité s'atténue, le sujet est rêveur, susceptible, facilement triste, peu expansif, renfermé, difficile à comprendre.

Le système des glandes endocrines, après avoir affecté le physique, retentit sur le moral de l'adulte en formation. Son système nerveux devient instable, proche du déséquilibre, alors que c'est de lui que viennent les initiatives. Il fournit, en effet, l'excitant qui se manifeste dans la volonté et l'attention, qu'il s'agisse de sport ou d'instruction, de travail physique ou mental.

Les causes de la fatigue

Un effort prolongé engendre la fatigue; celle-ci réduit les possibilités du vouloir. La fatigue se manifeste par un abaissement de la capacité de travail sous l'influence d'une excitation intense ou prolongée. Elle s'accompagne d'une sensation de malaise, laquelle disparaît à la suite d'un court repos. Ce repos suffit pour rétablir l'équilibre entre la dépense d'énergie vitale et l'évacuation des déchets organiques qui sont les résidus du travail.

La fatigue par surmenage apparaît lorsque la mesure a été dépassée dans l'effort ou lorsque celui-ci a été si intense qu'une grande accumulation de toxines l'a suivi.

Si l'effort excessif ne dure que peu de temps, le mal est réparable; mais répéter le même effort chaque jour compromet la situation: les toxines n'ont pas le temps d'être neutralisées, encore moins d'être éliminées. C'est ainsi que mourut, empoisonné par les produits de la fatigue, le coureur de Marathon en arrivant à Athènes, dans le moment même où il annonçait la victoire.

Quand on est trop fatigué pour dormir et que, par surcroît, on se sent fiévreux, sans appétit, sans ardeur, le surmenage a fait son œuvre. Pour revenir à la normale, il faut le repos complet, intellectuel aussi bien que corporel.

C'est une erreur d'essayer d'équilibrer, en les balançant, l'effort musculaire et l'effort cérébral; il ne faut pas contraindre l'esprit lassé à une gymnastique où son attention trouvera encore une source de fatigue.

Le mieux est de se récréer au grand air, sans effort, dans des jeux qui réclament de la liberté, de l'espace et qui favorisent la détente, soit l'effacement et le désistement du corps en faveur de l'esprit.

Lorsque l'effort mental exigé dépasse la puissance nerveuse disponible, l'ennui apparaît, avec le bâillement et l'agitation musculaire inconsciente.

Ces signes de fatigue, fréquents dans le milieu scolaire, préludent à la transformation du moral de l'écolier qui devient irritable, distrait, susceptible, coléreux, insolent. C'est la fatigue cérébrale qui retentit sur le corps, tout comme la fatigue corporelle se communique à l'intelligence.

L'état de fatigue est atteint d'autant plus rapidement que l'on a affaire à un organisme en voie de croissance qui doit faire les frais de la puberté au moment où on lui impose des examens sérieux et l'apprentissage professionnel. C'est une somme impressionnante de dépenses à engager: l'organisme surmené s'endette et finit par se déclarer en faillite.

La croissance s'arrête alors, au moins dans une de ses modalités: il y a excès de taille et maigreur, si la fatigue est légère; arrêt de taille avec diminution de poids, si la fatigue est intense et prolongée.

Dans un cas comme dans l'autre, l'enfant est incapable d'attention soutenue: il perd son temps en classe. Le désir d'apprendre revient quand le poids normal a été rétabli par le repos et la réduction des tâches scolaires.

S'il y a surmenage, il faut réduire en même temps les efforts physiques et les devoirs de l'étudiant; souvent, les interrompre tout à fait pendant le temps de la récupération qui sera lente.

L'abus des sports de compétition en vue de soulager la tension mentale est une erreur dangereuse. Au lieu d'apporter la détente complète d'un véritable jeu à l'air libre, le sport devient, ainsi entendu, un travail psycho-physique qui ne repose pas l'esprit. Il le maintient tendu parce qu'il exige de l'attention, de la précision, du jugement, avec une forte dépense musculaire pour assurer le triomphe dans la partie engagée.

La faiblesse mentale

L'individu normal accomplit sa tâche sans lassitude quand il travaille avec enthousiasme et qu'il a foi en son œuvre. Celui qui souffre constamment de fatigue est las avant de commencer la journée; il se plaint d'être toujours fatigué, qu'il travaille peu ou prou.

Certaines personnes naissent fatiguées d'esprit et de corps. Leur paresse est une réaction naturelle de défense contre la dépense d'énergie nécessaire pour lutter contre les forces du milieu extérieur.

D'autres sujets présentent un retard dans l'évolution du système des glandes endocrines; ils résistent assez bien aux maladies, ou bien ils prennent tout ce qui passe et sont prédisposés aux insuffisances viscérales. Quelques-uns se développent lentement et gardent longtemps le caractère infantile au cours de la vie.

Beaucoup de débiles sont timides et ont l'air intelligent. Les opérations supérieures de l'esprit leur sont ouvertes en principe. Ils en ont la possibilité, mais l'exécution est fautive; elle est totalement perturbée. Ils sont incapables de la poursuivre pendant le temps voulu.

Les indices de la faiblesse mentale consistent dans de petits mensonges dits économiques, en ce sens qu'ils sont perpétrés pour échapper à la fatigue de l'action à accomplir par nécessité sociale ou par exigence professionnelle.

Ce genre de tromperie est à distinguer des mensonges de stimulation qui sont vaniteux et sots, faits pour se remonter, se réconforter soi-même en attirant l'attention, en provoquant l'étonnement des autres.

Le milieu social incite les individus à agir par toutes sortes de procédés: invitation, menace, expression du désir, sentiment brutal, etc. Pour l'enfant, ce sont les ordres reçus de l'entourage qui l'obligent à se conformer à des obligations extérieures désagréables ou pénibles; il cherche souvent à s'y soustraire par le mensonge. L'adulte fatigué et timide, par surcroît, utilise le mensonge économique comme le seul moyen d'échapper aux obligations qui lui pèsent.

L'homme sait faire travailler les animaux malgré eux, en excitant leurs instincts primitifs — dont la force d'action est grande — pour déclencher le jeu des tendances secondaires faibles.

Il sait aussi s'appliquer à lui-même cette sorte de dressage par dérivation d'énergie, pour se faire travailler, pour se pousser à l'effort. Il y a dans le cerveau de chaque individu une réserve centrale d'énergie rattachée à la personnalité et qui vient alimenter, au moment voulu, chaque tendance défaillante: nous apprenons ainsi la mémoire et le travail organisés en les faisant passer à l'état d'habitudes.

Le sujet débile et timide veut bien faire une action qui lui plaît, de temps à autre, suivant la difficulté de l'action; mais il n'y ajoute pas l'effort personnel, ou bien il ne l'ajoute que très peu, de façon médiocre.

Il existe de nombreuses variétés de sujets asthéniques, suivant leurs apports héréditaires et le développement personnel de telle ou telle tendance. Ce sont, en général, des enfants intelligents dont on dit volontiers qu'ils «pourraient faire mieux».

Il y a ainsi des gens bien doués, hésitants et timides, qui n'arrivent à rien parce qu'ils n'ajoutent jamais à leurs capacités virtuelles la charge accessoire indispensable pour les mettre en œuvre.

La paresse en face de l'effort personnel à fournir entraîne le manque de goût, le défaut d'ardeur et de continuité: les actes sont vite interrompus. Le sujet se lance impulsivement dans l'action quand elle lui plaît, quand elle séduit une de ses facultés fortes ou une de ses tendances dominantes; mais il ne poursuit pas longtemps le même but.

Cette instabilité, ces intermittences dans l'action, cette tendance à tout commencer et à ne rien finir, sont des signes caractéristiques de la faiblesse nerveuse du sujet à qui manque le volant de la machine à vivre: la capacité d'effort.

Parfois, le sujet s'épuise dans une lutte interne qui consomme le peu d'énergie dont il dispose. Un état d'anxiété se cache sous la fatigue qu'il éprouve consciemment, la cause de l'anxiété étant plus profonde. Il faut trouver la cause véritable de l'anxiété pour voir clair dans son état et prendre des mesures capables de revigorer le corps en même temps que l'esprit.

CHAPITRE VII

Les origines psychiques de la timidité

Dans la lutte pour la sauvegarde de la santé, en cas de maladie, le corps et l'esprit sont indissociables. De même, l'organisme psycho-physique est indivisible dans les réactions qu'il oppose aux influences du milieu et de l'entourage.

Nos impressions nerveuses ont leur source dans des émotions qui s'accompagnent de modifications physiologiques. Ces situations émotionnelles ont, d'autre part, une origine psycho-morale dans nos rapports avec les autres êtres.

L'émotion la plus commune est celle de la peur devant un danger subit ou une difficulté imprévue. Cette peur est un mécanisme normal d'adaptation à la vie, un signal d'alarme par lequel notre organisme nous prévient qu'il faut combattre le péril ou le fuir, aborder la difficulté ou l'esquiver.

À cet instant décisif, le sentiment de peur s'accompagne d'altérations dans le rythme du cœur, la tension artérielle, le taux de sécrétion des glandes qui immobilisent les forces de l'organisme en distribuant à point nommé l'énergie vitale. Tout l'organisme est armé pour agir et se défendre, qu'il s'agisse de faire face ou de tourner bride.

La peur matérielle ou morale est saine quand elle est motivée par des circonstances extérieures correspondant à un danger réel ou à une difficulté sérieuse. Le danger passé, l'impression de peur disparaît, et tout rentre dans l'ordre.

Si le danger ou l'obstacle existe seulement dans l'imagination, lorsque la crainte n'est pas justifiée, la peur est malsaine parce qu'elle ne s'évanouit pas avec la cause qui l'a faussement provoquée.

La peur ainsi «rentrée» provoque un trouble psychique sous la forme d'anxiété, avec une sensation de malaise, d'inquiétude, de tension fort gênante.

Bien que la cause de la crainte soit fictive, les sensations organiques qu'elle provoque sont réelles, par exemple l'hypertension du sang dans les artères, avec pouls rapide, sans cause physiologique apparente.

Le corps tout entier demeure tendu pour la lutte. Cette tension ne repose sur rien de réel; elle ne s'exerce sur aucun objet. S'ensuit un déséquilibre nerveux, un état de névrose anxieuse qui s'accompagne en général des symptômes de la timidité.

Les réactions psychiques chez l'enfant et l'adolescent

Au point de vue psychique, l'individu vient au monde avec un ensemble de besoins matériels et d'instincts correspondant à ces besoins. L'harmonie intérieure règne en lui dans la mesure où ces besoins sont plus ou moins satisfaits.

Le corps social — la famille et plus tard, l'école — agit tout de suite sur l'instinct de conservation et de possession manifesté par l'enfant. Chaque contradiction de cet instinct fondamental provoque un déséquilibre intérieur qui apporte des modifications dans la structure psychique du sujet, malléable et modifiable à tout instant dans le jeune âge.

L'enfant se développe de proche en proche, par des contradictions successives qui agissent comme éléments moteurs: les conflits qu'elles engendrent chez l'être jeune deviennent le moteur de son développement.

La réaction de crainte comme cause psychique de conflit répressif est très forte chez l'enfant. Une bonne part de la conduite morbide adulte — que nous sommes appelés à rectifier — remonte à ces expériences premières.

L'expression de la liberté enfantine est constamment réfrénée; alors que, comme le sauvage, l'enfant ne s'abstient pas des actes auxquels il incline, sinon par crainte de conséquences désagréables. En outre, du fait des prohibitions qu'il rencontre de la part des adultes, l'enfant vit dans un monde à lui, un monde imaginaire qui lui inspire une certaine appréhension.

La vie de l'enfant, dans une large mesure, consiste en une lutte entre ses impulsions naturelles et la peur des sanctions qu'elles entraînent. Très souvent, il est contre-indiqué de réprimer; il suffit de détourner l'attention, d'intéresser le jeune enfant à autre chose pour faire disparaître l'état de crispation, d'entêtement.

Si la répression n'est pas faite avec tact, si elle est excessive ou brutale, le caractère peut être, de bonne heure, profondément influencé dans le sens antisocial: sujet impulsif, timide, renfermé, secret, inquiet, triste, morose. Si l'enfant s'aperçoit que les adultes se moquent de ses craintes et que d'autres, moins timides, osent accomplir les choses qu'il redoute de faire, il sera ulcéré, froissé dans son amour-propre du fait qu'on le tourne en ridicule ou qu'on le gronde pour ses craintes injustifiées.

D'où la tendance de l'enfant à dissimuler son état psychique, à dire qu'il n'a pas peur, alors qu'il tremble réellement. Dans la plupart des cas, les craintes se dissipent peu à peu, et le système nerveux conserve son équilibre.

Cependant, nombre de craintes, notamment la peur de punitions infligées pour des actes interdits par les parents ou par les maîtres, sont constamment réprimées et reviennent sans cesse à la surface.

En fait, de nouvelles craintes se superposent aux anciennes à travers la vie, craintes que nous sommes tous de plus en plus portés à cacher au fur et à mesure que les années passent.

Le jeune homme craint d'échouer dans la lutte pour les moyens d'existence, pour le rang social qu'il voudrait conquérir. La jeune fille craint que le mari désiré ne se présente jamais. L'adulte éprouve toutes sortes d'alertes au sujet de sa santé ou de sa position.

Les disciplines de l'enfance laissent en lui une impression profonde qui peut être reportée au stade suivant de la vie, ou bien devenir un facteur dominant pendant toute l'existence. Ce facteur d'angoisse nerveuse réapparaît plus tard, lorsque les circonstances sont trop difficiles pour que le sujet puisse s'y adapter.

Pendant l'adolescence, l'enfant qui a grandi concentre toute son attention sur son développement physique et intellectuel, sur ses relations sociales présentes et futures, sur ses droits et ses devoirs, sur ses responsabilités économiques. L'adolescent s'interroge au sujet de la valeur du genre d'éducation qu'il reçoit. Il pense à ses problèmes personnels et à son avenir. Il examine le type d'études auquel il est astreint, en regard des questions fondamentales qui se posent pour lui.

Souvent, les matières qu'on lui enseigne ne lui semblent pas offrir une valeur indiscutable pour orienter sa destinée et lui assurer des moyens convenables d'existence. Seuls, des professeurs tolérants et avertis peuvent dériver cette attitude de doute et de suspicion vers des voies utiles et constructives.

La plupart des adolescents sont incapables de reconnaître les valeurs supérieures de culture générale d'une éducation fondée sur les arts libéraux, telle qu'elle est donnée dans les établissements d'enseignement supérieur.

Il en résulte que beaucoup de jeunes gens quittent l'école. Les autres y demeurent sans intérêt réel pour leur travail, pour ne pas mécontenter leurs parents ou parce qu'ils n'ont rien de mieux à faire.

La tendance est de s'évader du système de la famille: le groupe de camarades et la foule anonyme deviennent les centres et les arbitres de la conduite sociale. Toutefois, dans bien des cas, les jeunes sentent, en leur for intérieur, le besoin très net d'un milieu familial qu'ils puissent considérer comme un centre de sécurité, une sorte de havre d'attache sûr, quelles que soient leurs évasions et incursions dans le monde extérieur.

Les sports, pour les deux sexes, aident au développement physique et servent d'exutoire aux pulsions organiques et émotionnelles communes à l'adolescence.

Les programmes sociaux de divers types, les organisations et les clubs orientés vers les intérêts pratiques de l'adolescent l'aident à se trouver lui-même, à échapper aux conflits intérieurs, à se sentir plus heureux et plus satisfait dans son travail de formation intellectuelle.

Le sentiment d'infériorité

Les expériences de la première enfance font place peu à peu à celles de la seconde. Les désirs infantiles primitifs ont dû évoluer et s'adapter ou bien ils sont réprimés volontairement ou de force. Parfois, ils sont bannis si loin de la conscience qu'ils ne réapparaissent jamais.

Il y a répression lorsque les désirs inconscients sont tenus en respect et rejetés dans la sphère de cet inconscient pour y être tenus en réserve, après avoir fait partie du moi conscient de l'enfant.

Notre éducation humaine est, en partie, un entraînement à la répression, à la répétition d'interdictions de toutes sortes exigées par la vie sociale et auxquelles il est nécessaire de s'habituer très tôt.

Les impressions demeurent dans l'inconscient. Elles se font jour quand la contrainte du groupe disparaît, par exemple, dans la solitude complète, ou lorsque l'intelligence qui représente la pression sociale est affaiblie par une maladie des organes ou des nerfs.

Les répressions ont trait principalement aux instincts de domination, d'agressivité, d'affirmation de soi et aux fonctions sexuelles. Non seulement l'expression des impulsions est suspendue, mais les expériences de l'enfance peuvent produire bientôt un sentiment de honte. Elles sont alors contenues de bon gré ou rejetées dans l'inconscient avec une sensation d'infériorité ou de culpabilité.

Chez l'enfant, il y a un sentiment intérieur d'opposition entre une aspiration à la puissance de l'individu adulte et la certitude humiliante de ne pouvoir atteindre ou contrecarrer cette puissance.

C'est dans le dualisme de l'orgueil et de l'abaissement que prend naissance le sentiment d'être inférieur, c'est-à-dire d'être dépourvu des qualités adultes essentielles et, plus tard, d'être incapable de faire face aux problèmes de l'existence.

Se sentir inférieur aux autres, à sa famille, à son propre idéal, craindre l'insuccès porte le sujet à s'évader du réel et à fuir l'épreuve; tandis que l'émotivité consécutive, l'ébranlement affectif irraisonné, provoque angoisse et fatigue.

Si le sujet est de constitution émotive, son angoisse et sa fatigue s'amplifient par des réactions en chaîne. Le sentiment accru d'infériorité provoque des troubles du caractère: repli craintif sur soi-même ou réaction violente d'irritabilité. Ces réactions sont motivées par la peur ou par le désir d'une revanche des humiliations que provoque l'accès émotif dont le sujet est conscient mais qu'il ne peut réfréner.

L'émotivité, rendue excessive par l'impression de se sentir inférieur, évolue normalement vers la timidité en face des maîtres, des camarades, des étrangers et aussi dans la famille où elle peut affecter la forme soit du reploiement sur soi-même, soit de la tyrannie par esprit de vengeance.

Le trouble est encore plus manifeste sous l'influence de facteurs acquis: intoxication et maladies infectieuses qui blessent le système nerveux, accidents graves, hyperthyroïdie, surmenage, etc.

On comprend que le timide, par sentiment d'infériorité, surévalue l'importance de l'opinion d'autrui, tant son désir est grand d'être approuvé et admiré par les autres avant que de l'être par lui-même.

Les timides de ce genre éprouvent facilement les affres du trac, cette peur panique en présence de personnes dont on craint d'être mésestimé ou désapprouvé. Le trac est une timidité motivée par la double crainte du ridicule et de l'échec en même temps que de l'échec par le ridicule. Il peut naître sur un fond de timidité vaincue, car le timide n'est pas toujours un peureux, ni le sujet soumis au trac nécessairement un hyperémotif.

Le vrai timide est paralysé par ses craintes réelles ou, le plus souvent, imaginaires. Il est gêné et inhibé par son indécision, torturé par ses obsessions, par la peur de rougir, d'être ridicule, de rester coi. Il risque de devenir inadapté à la famille, à la profession, à la vie sociale en renonçant d'une façon définitive à tout effort de redressement.

C'est en luttant contre le sentiment d'être inférieur que l'on peut acquérir une étonnante puissance, car le sentiment d'abaissement surmonté constitue une remarquable force d'impulsion.

Le sentiment de culpabilité

L'idée d'infériorité contient en elle-même des germes de timidité, de doute de soi, de crainte d'erreur, d'insuccès avec une tendance à hésiter, à tergiverser.

La pensée n'est pas dirigée par la représentation vive et imagée du but à atteindre, mais engagée dans un lacis de cheminements complexes en vue d'éviter de passer à l'action ou d'échapper à la peur d'agir.

Le sentiment de culpabilité est une des formes de celui d'infériorité pour avoir commis une faute, réelle ou imaginaire, ou pour ne pas avoir rempli un devoir familial ou social.

Ce sentiment est un fardeau que le moi conscient impose à l'individu, à moins que celui-ci ne soit capable de le rejeter par la maturité et par la compréhension du mécanisme psychologique de la conduite humaine.

Se sentir coupable à tort ou à raison est une cause de désordre psychique qui fait de grands ravages, d'autant plus que nous ne supportons pas de voir ce sentiment mis au jour ni par les autres ni par nous-mêmes. L'enfant rend souvent sa mauvaise conduite, sa rébellion, responsable de certains événements pénibles pour lui, même s'il n'y a aucun rapport effectif entre les deux ordres de faits; d'où un sentiment secret de culpabilité personnelle.

Se sentir coupable, c'est aussi se sentir inférieur parce que le moi juge la personnalité consciente et intelligente ainsi que l'être subconscient fait de besoins matériels et de désirs instinctifs.

S'ensuivent des combats, souvent tragiques, du subconscient avec la conscience de l'être primitif profond contre le moi conscient façonné dans l'enfance par un jugement intérieur qui évalue le mal et le bien.

Si l'on considère l'éducation, les exemples, le traitement qui ont été réservés à l'enfant, on se rend compte que le sentiment de culpabilité dont on peut souffrir plus tard procède souvent de ce qu'on a faussement interprété, au cours de l'enfance, le milieu social des adultes et les règles de conduite qui le régissent.

Le sentiment de culpabilité peut aussi provenir d'une fausse compréhension de la nature du péché ou du crime, ou d'un acte impulsif antisocial commis dans le jeune âge, ou encore d'un choc émotif violent à la suite d'une méprise de l'entourage au sujet d'une expérience ingénue de l'enfance.

Être coupable implique une punition méritée et fatale: le sujet attend et craint le châtiment, mais il désire l'expiation qui le libérera de sa faute ou de ce qu'il estime être une faute.

La plupart des gens apportent dans leur vie adulte quelque sentiment de culpabilité dont l'origine remonte à la lutte qu'ils ont soutenue étant enfants pour tâcher de s'adapter aux règles de la vie sociale. Certains demeurent timides ou irritables, de ce fait; d'autres se punissent eux-mêmes en se sacrifiant toute leur vie pour les autres, même si cette attitude est injustifiée. Dans les cas extrêmes, le sujet se libère, de façon violente ou non, par le suicide.

Une autre cause fréquente du sentiment de culpabilité réside dans un accueil, réservé ou froid, du père ou de la mère au besoin de tendresse que manifeste l'enfant. Celui-ci se sent banni ou expulsé du monde plein de sécurité dont il a naturellement besoin, et cette expérience de frustration peut se transformer en un sentiment négatif: l'enfant grandissant ne se sent pas digne d'affection puisque ses proches ne l'aiment pas. Il cherchera la tendresse et l'amour avec une angoisse née de la conviction qu'il ne les trouvera jamais.

Un tel enfant éprouve des sentiments hostiles envers les personnes dont il désire des marques d'affection, en même temps que le sentiment d'incapacité le pousse à se donner des tâches trop lourdes ou un idéal trop parfait, afin de devenir plus digne d'attention et d'amour.

Les conséquences des sentiments d'infériorité

Chaque individu fait, dès sa naissance, des efforts pour s'adapter au monde dur de la réalité: il lui faut modérer ses désirs, se conformer au mode de vie de ses parents pour qu'ils l'aiment et s'occupent de lui, de son confort, de son avenir. En outre, il doit faire effort pour gagner la faveur de l'entourage.

S'il est trop souvent contrarié dans ses idées et dans ses actes, l'enfant éprouve un sentiment pénible d'insatisfaction, de frustration, qui peut créer chez lui une instabilité psychique, cause de faiblesse et d'échecs.

L'enfant se charge ainsi d'un fardeau d'incompréhensions et de malentendus que certains portent avec aisance. Mais chez un sujet faible, en cas de tension nerveuse ou de crise, les éléments subconscients d'infériorité émergent, en général, sous la forme d'une anxiété vague.

L'anxiété nerveuse est en quelque sorte une idée fixe dont les racines plongent à la fois dans le terrain organique et dans le domaine psychique.

Les causes d'anxiété varient avec chaque individu. Ce qui est normal ou non dans notre conduite dépend, en grande partie, de ce que le milieu dans lequel nous nous sommes développés a été favorable ou adverse.

Le timide anxieux est enclin à l'obsession, à la phobie, à l'angoisse, d'autant plus que l'imagination dont il est doué amplifie les objets de son effroi. Sa conduite, naturelle avec les intimes, réticente avec les autres, vient d'une peur maladive qui peut être surmontée.

La forme d'anxiété varie suivant la personnalité innée du sujet, le milieu où il est né et où il a grandi, les circonstances heureuses ou malheureuses de son existence: harmonie, dépendance, affection, brimades, opposition, agressivité du foyer.

De toute façon, l'état anxieux développe un mécanisme de défense acquis de façon consciente, une manière de penser, de se comporter ou d'agir par laquelle le sujet tend à se délivrer des sentiments de culpabilité ou d'autres émotions connexes que lui inspirent ses convictions, ses habitudes ou ses actes.

Les réactions du timide anxieux

Le timide tourmenté par l'anxiété, si commune de nos jours, ressent vivement la souffrance morale parce qu'il l'amplifie quand il ne la crée pas lui-même.

En principe, l'homme éprouve surtout des émotions et manifeste des sentiments. Il est extrêmement rare qu'il tienne un raisonnement sans partir d'une émotion. Un sujet très émotif fatigue plus son organisme de ce fait que par un travail physique ou mental très dur; d'où l'origine de ses malaises et de ses écarts de conduite.

Le sujet peut réagir de cinq manières différentes à son déséquilibre émotif: par abandon, imitation, opposition, compensation, surcompensation.

Abandon: Renoncement total à la lutte, cessation de tout effort pour s'adapter, isolement à l'école et au sein de la famille; échec dans le choix d'une profession; recul devant le sexe opposé, échec conjugal.

Imitation: Renoncement à l'affirmation d'une personnalité indépendante; abandon de toute initiative dans la pensée et dans les actes; tendance à copier servilement les faits et gestes d'une personne hardie, prise pour modèle, que son influence soit bonne ou mauvaise.

Opposition: Révolte déclarée ou sournoise, surtout contre les parents, la famille, les maîtres, les structures normales, l'autorité quelle qu'elle soit; irritabilité par mauvaise transposition de l'instinct de colère; état entretenu de mécontentement, de grognerie, de turbulence, d'agitation permanente.

Compensation: Effort pour compenser les échecs dus à l'infériorité, par une réaction de dédommagement psychique; actes antisociaux de revanche des humiliations subies.

Surcompensation: Attitude revancharde de domination, de fausse audace notamment dans la famille; tyrannie abusive et cynique dans le milieu familial, par dédommagement des échecs subis ailleurs ou inversement.

Les sources psychiques de dépression nerveuse

Les gens souffrent plus de désordres nerveux que de dérangements des organes. Ils sont atteints mentalement et ils croient que leurs troubles sont de nature organique.

Il n'existe pas de barrière entre l'esprit et le corps: les angoisses psychiques se transforment en maladies fonctionnelles de l'organisme. On estime que la moitié de ces maladies ont pour cause des affections psychiques.

La timidité marche de pair avec la dépression physique et mentale, état émotif d'activité diminuée, que caractérisent en général des sentiments d'infériorité, d'incapacité et d'inadaptation.

Un sentiment subconscient d'infériorité provoque la dépression nerveuse; mais la fatigue qui l'accompagne ne provient pas toujours du subconscient: elle peut venir de soucis extérieurs ou de conditions de travail non satisfaisantes.

La cause des troubles ne réside pas dans le corps: elle réside dans l'esprit. Bien que le corps en accuse les effets, les origines du déséquilibre — et la timidité en est un — sont d'ordre psychologique, conscientes ou inconscientes.

Parmi les causes conscientes du malaise anxieux, il faut noter le travail monotone et contrôlé que l'on effectue sans plaisir, quand ce n'est pas avec dégoût. Si on travaille à contrecœur, l'ennui vient, la fatigue s'installe et le rendement diminue. Le travail en soi n'est pas la cause de la fatigue nerveuse; quand l'état physiologique est sain, le repos n'est pas le remède adéquat à un épuisement complet de l'énergie vitale.

L'épuisement peut venir de soucis d'affaires, d'un défaut d'entente avec les chefs ou les collaborateurs, d'une tension nerveuse constante parce qu'on ne trouve pas le repos chez soi, etc. Les soucis d'argent ou autres et la lutte pour y faire face entretiennent un état permanent de peur qui use l'organisme par une fatigue incessante, source d'intoxication chronique.

L'état habituel d'indécision, de pusillanimité qui caractérise le timide est une des sources les plus communes d'angoisse, de mécontentement de soi et de fatigue, du fait de la succession d'émotions changeantes et incontrôlables.

En somme, ce sont les phénomènes psychiques, bien plus que l'état plus ou moins déficient de nos organes, qui sont responsables de la timidité et de l'angoisse nerveuse. Le sujet timide amplifie son malaise psychique par l'imagination. Il l'aggrave par la peur et par un excès d'analyse de lui-même. Il l'entretient par son pessimisme.

CHAPITRE VIII

Les ressorts de la conduite humaine

Nous sommes équipés chacun d'un système nerveux d'une certaine qualité: plus ou moins sensible, plus ou moins résistant. Il n'y a pas deux personnes exactement semblables sous ce rapport.

Nos actions individuelles dépendent largement de la nature de notre équipement nerveux. S'il n'est ni trop sensible, ni trop imaginatif, ni trop porté à vouloir être sympathique aux autres, il nous rend aptes à réussir dans la vie.

L'instinct et l'intelligence semblent se contrebalancer chez l'être humain. Les gens les plus intelligents et sensitifs ne sont généralement pas ceux qui ont le plus de flair dans la vie pratique. Les gens qui voient d'instinct où est leur intérêt sont souvent des individus frustes, lents, avec un esprit un peu lourd.

L'individu dont les nerfs sont ainsi disposés qu'il ne s'émeut pas facilement et qu'il manque d'imagination pour se mettre à la place des autres, ne s'inquiétera pas beaucoup de savoir s'il les gêne et de connaître l'opinion qu'ils peuvent avoir de lui. Il ne sera ni craintif ni timide.

Dans la première partie de notre existence, nous élaborons nos idées et nous arrêtons nos principes de conduite au contact des personnes qui nous entourent.

Cette formation, d'après l'influence du milieu, dépend de notre nature émotionnelle: certains sont plus influencés, d'autres moins, selon leur propension à accepter les idées et à adopter les manières d'agir qu'on leur dit être bonnes ou mauvaises.

Lorsque nous nous trouvons à un carrefour de l'existence, nous éprouvons la nécessité de prendre un parti, de faire telle chose ou telle autre, en décidant par nous-mêmes. Chacun agit selon l'équipement nerveux dont il dispose au moment de la décision. Nous jugeons et décidons selon notre équipement psycho-nerveux, et selon ce que nous avons tenté dans la vie pour en rectifier ou en compléter le contenu originel.

Les facteurs émotionnels qui interviennent dans nos décisions sont si nombreux que nous pouvons considérer celles-ci comme une sommation inconsciente des états antérieurs. Nous nous décidons d'après les motifs qui dominent en nous: cela dépend de notre équipement psycho-nerveux et de l'expression que nous lui avons donnée jusqu'alors.

Lorsque nous portons un jugement, nous le faisons en fonction de tout ce qui nous est advenu dans le passé, mais il nous serait impossible de débrouiller l'écheveau des fils conducteurs qui, avec toutes leurs ramifications, nous conduisent ou nous poussent, finalement, ici ou là.

Personne n'est le même individu à dix ans et à vingt ans; nous pouvons être meilleurs ou pires, plus timides ou moins timides, moins émotifs. Ensuite, de dix ans en dix ans, nous changeons encore, physiquement et moralement. Les émotions de base, capables d'engendrer en nous amour, haine ou crainte, peuvent se trouver détruites ou transformées si nos expériences ont été de nature à modifier notre vision de la vie.

La vie nous forme et nous reforme sans cesse par le moyen des expériences innombrables qu'elle met à notre portée et dont nous devons recueillir les leçons. Chacun juge en fonction de ses propres mobiles et agit poussé par ses appétits ou ses sentiments. On ne voit autour de soi que ce qu'on est préparé à y voir. L'imagination gouverne le monde parce qu'on ne croit que ce qu'il est agréable de croire.

Le développement personnel de l'individu

L'adolescence, de treize à dix-neuf ans, comporte un cycle rapide de croissance pendant lequel des émotions intérieures nouvelles influencent le sujet et le font réagir différemment envers les autres individus, notamment envers ceux du sexe opposé.

Les expériences de cette période tendent à s'écarter des puérilités antérieures. C'est un signe d'équilibre psycho-nerveux; mais si les habitudes mentales formées durant la préadolescence ont été nuisibles, elles constituent de mauvaises fondations pour l'édifice à construire.

Par la suite, les problèmes d'adaptation à la vie sociale, qui s'accroissent chaque jour en nombre et en difficulté, seront d'autant plus difficiles à résoudre. C'est pourquoi tant de troubles nerveux, passagers ou durables, dont l'émotivité maladive, s'établissent chez de nombreux adolescents qui ont subi un entraînement mental défectueux pendant la première et la deuxième enfance.

En approchant de l'âge adulte, l'individu normal doit compter entièrement sur ses propres ressources, tout au moins au point de vue psychologique. Le fait que des milliers d'individus n'arrivent pas à se conformer aux normes psychologiques de l'adulte atteste qu'un grand nombre demeurent sous-développés faute d'un entraînement ou d'une rééducation convenable de leur équipement mental négligé, déformé ou comprimé.

Si tel est votre cas, vous ne pouvez pas modifier votre héritage biologique. Vos efforts dans ce sens déclencheraient des réactions émotives qui vous feraient rechercher et maintenir les attitudes et la mentalité de l'enfance, même si votre développement intellectuel était normal par ailleurs.

Vous pouvez agir sur ce qu'il y a d'inconscient en vous, sur la synthèse des états d'âme qui se sont succédé jusqu'à présent dans votre existence, c'est-à-dire sur votre personnalité subconsciente dont le domaine est celui de la spontanéité, de la suggestivité et de l'automatisme.

L'efficacité de la culture mentale pour le développement personnel de l'individu vient du fait que tout acte musculaire ou psychique qui se reproduit avec une certaine intensité, dans certaines conditions et par répétition plus ou moins prolongée, tend à se reproduire automatiquement. Le conscient passe dans le subconscient, la fonction médullaire automatique l'emporte sur la fonction psychique consciente.

C'est une grave erreur de consacrer toute l'attention au développement de la personnalité par le moyen de la culture générale et de négliger la culture de la personnalité fondamentale, le subconscient, de l'ignorer et même de la renier.

Comme cette force souterraine s'affirme fatalement d'une manière ou d'une autre, il est vain de tenter de la réduire par la force, de la mater, de l'empêcher de se manifester de quelque manière que ce soit, de dégager son excès de puissance: les punitions, les humiliations, les brimades, les interdictions brutales de toutes sortes conduisent à des refoulements d'énergie et à des restrictions conscientes dont les répercussions sont souvent désastreuses pour l'avenir du sujet.

D'autre part, il est peu d'individus qui gardent un caractère original lorsqu'ils fréquentent toujours le même milieu où tout conspire à les ramener au niveau ambiant. Si nous fréquentons des milieux différents, nous portons, combinées à toutes nos acquisitions anciennes, les marques des uns et des autres.

Les habitudes et sentiments qui prédominent dans notre psychisme sont ceux qui s'adaptent le mieux à notre tempérament inné ou ceux qui caractérisent le milieu que nous fréquentons le plus.

Aucune de nos activités ne demeure isolée, inutile, sans effet. Elles ont en nous des répercussions multiples du fait des liaisons intimes entre les divers modes de manifestations de notre personnalité subconsciente. Chaque manifestation de l'inconscient psychique, même d'apparence insignifiante, provoque des effets qui deviennent causes à leur tour, de sorte que nous subissons l'influence d'un ballottement continu que nous n'apercevons pas parce qu'il nous est coutumier.

L'activité subconsciente, que ses éléments soient innés ou acquis, s'exerce automatiquement à notre insu, sans que nous n'y prenions garde. Elle règne sur nous en maîtresse presque absolue de notre sensibilité émotionnelle, bien qu'elle soit ignorée de la plupart des gens.

L'activité subconsciente déclenche l'attention émotive spontanée. Elle est la cause déterminante de nombreuses opérations intellectuelles réflexes. Elle constitue la base de notre personnalité.

Ainsi, nous sommes mus par des forces obscures qui nous laissent très peu maîtres de notre volonté consciente: nos raisonnements et nos jugements s'élaborent sous l'influence des états émotionnels suscités par les pulsions de l'instinct, des habitudes, du milieu. Ils résultent d'un assemblage de perceptions, de sensations et de rapports.

Notre raison est, le plus souvent, subordonnée à notre état d'âme; elle varie avec cet état et les circonstances extérieures. Il n'y a donc pas lieu de s'étonner que la personne humaine soit en contradiction permanente avec elle-même, d'autant plus qu'il n'y a pas de frontière définie entre le moi conscient, intelligent, réfléchi et l'être subconscient, impulsif et aveugle.

C'est pourquoi chaque individu a besoin d'un entraînement spécial pour assurer l'unité de sa conduite et maintenir cette unité en dépit des chocs émotifs qui la menacent et l'assaillent de toute part.

Le domaine de l'inconscient psychique

Tant qu'on n'a pas médité les enseignements de la psychologie, on ne connaît que des phénomènes conscients, musculaires et mentaux, sur lesquels l'attention volontaire s'arrête pour les faire apparaître dans notre esprit. On ne se doute pas des opérations organo-psychiques complexes — aussi nombreuses et tout aussi importantes — que nous effectuons sans que notre conscience en soit informée.

Entre les deux modes de fonctionnement, l'inconscient et le conscient, se place une zone intermédiaire de perception plus ou moins vague des faits psycho-physiques qui nous concernent et dont nous avons alors une conscience obscure ou demi-consciente.

On admet comme hypothèse commode l'existence d'un psychisme subconscient, plus ou moins illuminé d'une conscience rapide, qui constitue en quelque sorte l'intelligence subconsciente. À la limite de cette conscience rapide, on entre dans le domaine de l'inconscient proprement dit.

On admet aussi l'existence d'un inconscient psychique relatif à l'ensemble des faits qui, sans être perçus à l'origine, peuvent devenir conscients à d'autres moments ou sous certaines conditions.

L'inconscient proprement dit comporte les *instincts premiers,* les *tendances de base* et les *réactions immédiates* de l'individu. Cet ensemble amène le sujet à se comporter comme si la réflexion volontaire était la source de ses actions.

Les *instincts animaux* déclenchent en nous des forces psychiques inconscientes qui pèsent sur notre activité consciente; tandis que les *tendances,* héritées ou acquises, sont des besoins qui tendent vers des fins personnelles et qui mettent en œuvre tous les moyens possibles pour les atteindre.

Comme l'habitude intéresse le corps dans son fonctionnement, le naturel de l'inconscient est aussi organique. Il contient le réel tout entier et, plus spécialement, la matière. Il constitue un faisceau de réalités qui, bien qu'étant en elles-mêmes non conscientes, sont en relation avec la conscience et la conditionnent étroitement.

La plupart de nos sensations, de nos pensées et de nos actes conscients ne nous laissent aucun souvenir durable. Nous nous en souvenons pendant quelque temps, puis ils s'effacent de notre mémoire. En réalité, ils s'agglomèrent en une masse confuse, au fond de l'inconscient, d'où ils surgissent, parfois à l'improviste.

Certains actes psycho-physiques, souvent complexes, peuvent se produire en dehors de notre volonté, sans que nous fassions le moindre effort, grâce au mécanisme de l'inconscient. Par exemple, sous l'influence d'une impression sensible, d'une impulsion motrice ou d'une forte émotion, des *réactions immédiates* se produisent sous la forme de mouvements réflexes que les centres supérieurs du moi conscient n'ont pas arrêtés. Ces réactions sont fréquentes chez les sujets au tempérament impulsif, qui ne peuvent réprimer leurs réflexes par manque de maîtrise de soi.

Dans certains cas, d'une façon tout à fait inconsciente, la rencontre fortuite d'une personne provoque un sentiment de sympathie ou d'antipathie, une attraction ou une répulsion instinctive.

Ces sentiments irraisonnés qu'éprouvent surtout les animaux, les enfants, les femmes sans qu'ils puissent en saisir le motif expliquent la naissance brusque d'un amour dont on ne peut se défendre pour une personne inconnue jusque-là.

Le rôle de l'inconscient psychique

Grâce au vaste domaine de l'inconscient, beaucoup d'actes que l'individu accomplissait primitivement avec le concours de l'attention volontaire deviennent peu à peu automatiques, pour son plus grand bénéfice. L'éducation tout entière vise à obtenir ce résultat: la conscience des actes diminue avec le progrès culturel. L'énergie mentale épargnée peut ainsi être dirigée vers d'autres buts.

C'est la sensation de la difficulté qu'éprouve notre organisme à s'équiper de réflexes efficaces, physiques et mentaux, qui explique le développement de notre moi conscient et la formation graduelle de notre personnalité. Par le sentiment de l'effort à accomplir pour organiser des réflexes et en acquérir la maîtrise, l'individu devient de plus en plus conscient, en sorte que l'inconscient psychique paraît porter en lui l'origine et la raison d'être de la conscience réfléchie.

Le moi véritable réside dans l'inconscient. C'est toujours là qu'il faut revenir et que l'on doit puiser, pour se retrouver dans les moments critiques. C'est là que plongent et vivent les racines profondes de notre être.

L'inconscient constitue un immense réservoir d'énergie spirituelle qui détermine et dirige nos pensées par ses tendances invisibles, en même temps qu'il influence les pensées et les actes des autres personnes.

C'est l'inconscient psycho-organique qui donne à nos sensibilités leur accent particulier. Il y a autant de nuances en lui qu'il y a d'individus. Il fait que nous attirons ou que nous repoussons; il cause la sympathie ou l'antipathie.

Nous projetons à notre insu, autour de nous, l'image de notre inconscient. Si une personne nous paraît réaliser cette image inconsciente de nous-mêmes, nous sommes disposés à l'aimer à première vue parce que nous recherchons avant tout chez cette personne un reflet de notre mentalité inconsciente, les qualités et même les défauts qui nous rendent capables d'échanger avec elle des vibrations sympathiques.

Notre inconscient effectue automatiquement des opérations intellectuelles qui n'exigent de notre part aucun effort mental. Il subit l'influence du milieu et il accumule les habitudes acquises.

Il conserve un très grand nombre de souvenirs qui ont donné lieu à des opérations plus ou moins conscientes et dont nous n'avons pas gardé la mémoire; de sorte que nous ne pouvons pas rappeler à nous ces souvenirs par le mécanisme de l'attention volontaire. Ainsi, le trésor des émotions de nos ancêtres et celui de nos propres émotions existent dans notre inconscient psychique. Aux moments graves de notre histoire, c'est ce trésor qui nous revient et qui est déterminant.

Les éléments de la conduite individuelle

Nous avons, pour agir, le *moi conscient,* les éléments de la conduite individuelle: faculté de choix, raison, méditation, jugement, attention, volonté consciente.

Ensuite, l'*inconscient,* dénommé parfois *subconscient* pour employer un mot faisant image: souvenirs, rêves à l'état de veille, expériences prénatales et actuelles, habitudes et pensées de crainte ou de frustration, imagination, illusions des sens, impulsions non contrôlées, activités sensorielles, automatismes.

Enfin, le *supraconscient*: conscience supérieure cosmique, reflet en nous des forces créatrices universelles, intuition, inspiration, extase, éclair de génie, cause invisible aux sens, réalité finale, sagesse suprême.

Parmi ces éléments, l'inconscient, domaine de la sensibilité, se manifeste par des impulsions et des émotions qui sont des opérations inconscientes plus ou moins nettes, et par une tendance à vibrer à l'unisson du milieu ambiant, à accepter les suggestions du dehors, ainsi que par la possibilité d'acquérir, par la répétition des mêmes actes, certains états stables dits habitudes.

L'inconscient est aussi le domaine de la conservation et de l'invention, de l'automatisme et de l'initiative. Par la persistance, en lui, de mécanismes que l'habitude a montés et par le retentissement de nos acquisitions successives, il rend l'individu apte à la continuité d'action et à la synthèse créatrice.

Le moi conscient et l'inconscient sont associés; il n'est pas entre eux de démarcation précise, mais le conscient est seul raisonnable.

L'inconscient détient les leviers de l'énergie; s'il domine et prend les rênes, il part en flèche comme une force aveugle. Les diverses manifestations de l'inconscient interfèrent entre elles: tantôt elles se favorisent et se complètent, tantôt elles entrent en lutte et se heurtent.

Une émotion forte concentre la puissance mentale sur un objet déterminé. Elle suscite, de la sorte, un examen sérieux de cet objet; mais elle ne préserve pas le jugement de partialité et de risque d'erreur. Un choc émotif violent peut perturber les habitudes acquises et changer totalement la manière de vivre; après un profond chagrin, par exemple. De même, une passion nouvelle peut faire rompre une ancienne liaison que l'on n'aurait pas eu le courage de briser sans cela.

Le dynamisme de l'inconscient réside dans des éléments latents et actifs dont les combinaisons ne sont pas soumises, comme celles de l'automatisme psycho-physique, au contrôle de l'activité consciente et volontaire.

Les mouvements qui trahissent la pensée intime d'un interlocuteur sont inconscients sans être automatiques. Ils révèlent l'existence d'un inconscient dynamique prêt à jaillir au dehors comme une vaste source d'énergie, bouillonnante, capricieuse et mouvante.

CHAPITRE IX

Le fleuve tumultueux du subconscient

L'individu humain est un assemblage plus ou moins solidaire, composé principalement d'une personnalité consciente, à la mesure de celle d'un faible enfant, et d'un lourd héritage: celui du formidable inconscient légué par l'homme des cavernes.

Aussi longtemps que nous refusons d'admettre la présence subconsciente en nous de cet homme des cavernes dont les réactions obscures jouent un rôle fondamental dans chaque détail de notre vie, notre existence quotidienne risque d'être troublée.

C'est seulement en amenant l'homme des cavernes à la lumière de notre pleine conscience et en le domptant pour employer son énorme énergie à des tâches utiles que nous pouvons intégrer avec succès les éléments disparates de notre individu, affermir leur cohésion, réaliser leur unité et assurer leur efficacité.

L'homme se laisse plus facilement mener par l'inconscient passionnel et animal, représenté par la partie arrière de son cerveau, que par son cerveau avant, analytique et réfléchi. Il suit en cela la loi du moindre effort, d'autant plus que le cerveau avant est, en général, moins développé par rapport au cerveau postérieur. Ainsi, la forme générale du crâne peut, à première vue, donner des indications sur les tendances de l'individu, sur son tempérament, sur son caractère.

Cet examen ne nous renseigne pas sur le contenu de l'inconscient psychique, mais il permet de voir si le sujet est disposé à agir avec réflexion, avec sagesse, ou s'il incline à suivre le courant des énergies cachées qui ont un effet si insidieux sur la conduite humaine.

La persistance des instincts ancestraux

Le tréfonds de notre individualité émerge comme subconscient quand il surgit pour affleurer au niveau de la conscience de l'esprit lucide ayant la notion plus ou moins claire de ses actes.

Ce subconscient est à la fois utile et destructif: notre corps est assez semblable à celui des animaux supérieurs. Celui des animaux, en descendant l'échelle, ressemble de plus en plus aux formes inférieures de la vie; d'où le fond sauvage et primitif de l'homme.

Le processus de l'évolution animale s'applique aussi à l'intelligence qui est le produit de millions d'années de développement par un exercice continu, de génération en génération.

Non seulement nous héritons des émotions inférieures de l'animal, de ses passions destructives et de ses instincts luxurieux, mais aussi de la sagesse conquise par nos ascendants au cours des siècles.

L'esprit animal de l'homme préhistorique sommeille en nous. Il s'éveille en maintes occasions. Il donne l'impression d'une puissance qui demande à s'employer en dehors des règles habituelles de conduite, d'une puissance qui dépasse la mesure commune et qui semble au-dessus de l'humain.

La civilisation enferme l'homme actuel dans les cadres de la vie paisible, après qu'il ait été, pendant des millénaires, un guerrier sauvage courant la proie et l'aventure.

Tous les instincts primitifs jadis nécessaires pour survivre ont été dévalorisés dans le nouveau mode de vie où il faut raisonner, calculer, comparer les causes et les résultats, c'est-à-dire se servir du faible instrument de la conscience pour subsister, au lieu d'utiliser les instincts puissants développés autrefois au maximum.

Tous ceux de ces instincts fondamentaux qui ne trouvent pas à s'employer au-dehors cherchent une issue au-dedans de nous. Il s'en est suivi, au cours des âges, une intériorisation croissante de l'individu humain par défaut d'expansion des forces sourdes de l'inconscient primitif, mises en harmonie avec l'évolution générale du phénomène humain. Ces forces se sont tournées contre l'individu lui-même, contre le possesseur des instincts originaux d'indépendance farouche: avidité, lutte, cruauté, haine, errance, esprit de destruction.

L'instinct de liberté réfréné, comprimé, ne peut finalement trouver expression et satisfaction qu'en nous-mêmes. C'est là l'origine de la mauvaise conscience, par manque d'obstacles à la mesure des instincts violents qui sommeillent en nous sous la pression du milieu social et dans la monotonie de la coutume.

L'homme, dans sa marche vers le progrès, s'est maltraité lui-même comme l'oiseau qui se jette contre les barreaux de la cage. Prisonnier voué au désespoir, il a inventé, pour lui, la mauvaise conscience. Il a introduit dans son esprit une maladie qui résulte d'une rupture violente avec son passé d'homme des cavernes, dans un milieu nouveau et dans de nouvelles conditions d'existence auxquelles il a été forcé de s'adapter.

Le torrent des impulsions primitives

Certains de nos besoins essentiels représentent une pression de l'organisme physique, la pression de la vapeur dans la machine. Ces besoins impulsifs sont importants par le caractère qu'ils impriment à notre vie mentale. Les psychologues admettent comme forces motrices de la personnalité, les impulsions fondamentales existant dans la partie subconsciente de notre nature et qui sont comparables aux instincts vitaux de l'animal.

Parmi les besoins impulsifs qui viennent de l'intérieur et qui nous poussent à l'action, le plus commun est l'appétit de nourriture, avec sensation de faim.

La faim s'accompagne de contractions du tissu musculaire de l'estomac, lesquelles sont enregistrées par les nerfs associés avec ce tissu, puis transmises automatiquement à la région de la conscience, dans le cerveau.

Le même processus intervient quand notre œil nous avertit de quelque chose à éviter ou à poursuivre. Il s'agit toujours d'une réaction neuromusculaire, après une perturbation nerveuse dans une région déterminée du corps.

L'instinct de l'oiseau qui fait son nid est dû à des stimulations internes du même genre. Chaque acte de l'animal semble suggérer que celui-ci prévoit un besoin futur, bien qu'il s'agisse d'impulsions physiologiques du moment.

L'animal agit automatiquement sous la pression d'un besoin matériel vital qui traduit, en quelque sorte, l'effet d'une force d'inertie: celle de la vie qui court sur son erre une fois lancée, qui tend à durer, à persister, à poursuivre sa course jusqu'au bout de la trajectoire.

L'appétit sexuel, le plus intense et le plus général des besoins impulsifs de la nature humaine, est de la même essence physiologique. Il s'explique par le rôle spécifique des glandes endocrines dont la découverte a révolutionné notre conception des ressorts invisibles de la conduite humaine.

La volonté de puissance, ou l'instinct de domination, est reconnue comme une impulsion fondamentale d'origine physique, en ce sens que certaines glandes inspirent chimiquement l'attitude agressive et le désir de dominer, exactement comme le fait une dose de quinine.

L'instinct de conservation lui-même dépend du courant de vitalité ou d'énergie combative qui vient du jeu normal des glandes endocrines.

Pour que les impulsions primitives puissent exercer leur force motrice dans l'une ou l'autre direction, les tissus de l'organisme doivent être riches d'énergie potentielle: de nourriture assimilée et d'oxygène. Ils doivent aussi être libres des entraves que peuvent apporter la fatigue ou l'intoxication.

Toutes les impulsions primitives internes qui nous stimulent proviennent de conditions physiques ou chimiques tributaires du mécanisme subconscient. Nous pouvons déceler leur influence sur le mécanisme conscient de nos activités.

Notre vie consciente serait dominée par le torrent des impulsions internes — et non simplement dirigée par les stimulations de l'extérieur — s'il n'y avait pas quelque chose entre la source d'énergie subconsciente et le mécanisme conscient d'activité volontaire, pour capter, contenir et contrôler cette source.

L'instrument de canalisation, de direction et de frein réside dans la conscience modelée par l'éducation et par l'expérience quotidienne.

L'impulsion subconsciente n'en contribue pas moins, par sa pression souterraine, à influencer la conduite consciente, soit par des travestissements variés de celle-ci, soit par des troubles de fonctionnement qui apparaissent dans diverses régions de l'organisme.

Le débordement de l'énergie vitale

L'énergie vitale de l'être humain correspond à l'ensemble des impulsions et stimulations internes qui le font agir, impulsions dont la résultante s'exprime dans un type d'action plus ou moins déterminé et stable: celui des tendances foncières de l'individu.

C'est en principe l'énergie mentale telle qu'on la conçoit vis-à-vis de la puissance motrice des organes du corps, qui tient l'individu en haleine, le fait s'ébattre, se démener, s'évertuer. Toutefois, la ligne de démarcation entre les deux énergies, corporelle et mentale, ne peut être tracée de façon définie.

En fait, les différents individus sont dotés, à leur naissance, de certaines possibilités physiques et mentales qui sont surtout corporellement dues à des différences glandulaires.

Ainsi, l'énergie impulsive concernant le sexe s'étend sur tout ce qui touche à l'amour, à l'affection, et non pas seulement au plaisir associé avec le fonctionnement normal des glandes endocrines sexuelles et les sécrétions de ces glandes.

De l'énergie impulsive totale disponible chez l'être humain, une partie est dérivée par le cerveau et les nerfs sensoriels pour tenir l'individu en contact avec le monde ambiant. C'est cette partie spécialisée que nous appelons le moi conscient ou la personnalité.

Une portion de l'énergie spécialisée est consciente, l'autre subconsciente. Celle-ci lutte pour réaliser une expression qu'elle souhaite, mais que la partie consciente du moi refuse. Au sein du tumulte intérieur, selon le caractère et l'éducation, chacun supprime plus ou moins radicalement les mouvements de la partie de sa nature la plus proche du stade animal: celle qui nous induit à mentir, à désirer la femme du voisin ou à nous approprier un objet à notre portée s'il n'y a pas de risque à le faire.

Le sens de la décence ou le pli de l'éducation retiennent nos gestes instinctifs dans maintes circonstances, notamment au point de vue du sexe.

L'impulsion sexuelle primitive s'insinue en nous à la dérobée, soit à cause de la force de cette impulsion elle-même, soit par suite d'une faiblesse consciente dans le contrôle de son exercice rationnel. D'où une énorme source de dissimulation d'un côté, et un grand nombre d'expressions sexuelles déguisées, ou de troubles morbides de répression de l'autre. Voilà pourquoi l'élément sexuel est d'une importance capitale dans l'analyse de l'esprit.

Non seulement les impulsions sexuelles délibérément déviées ou réprimées d'une façon maladroite peuvent entraîner, comme tout le monde l'admet, des désordres physiques et mentaux, mais les souvenirs d'expériences anciennes qui se sont effacés de la mémoire et ne sont jamais normalement retournés à la conscience peuvent avoir une influence marquante sur la conduite et sur la santé.

La répression du libre jeu des instincts

La nature animale des instincts primitifs n'est pas ce qui compte le plus: c'est la façon dont on traite ces instincts ou dont on en dispose.

Certains les laissent s'exprimer sous leur forme grossière, d'autres les canalisent, les orientent, les dirigent dans des voies plus élevées et plus saines. D'autres encore les repoussent, les enferment et les compriment sans leur laisser la moindre issue.

De toute façon, ces instincts bouillonnants ne peuvent jamais être complètement balayés, annihilés, quelle que soit la rigueur avec laquelle on les réprime. Ils sont étouffés, mais non amortis; ils sont apaisés, mais non consumés. Ils survivent au fond du subconscient, fougueux et troubles, où ils affectent notre conduite à chaque tournant de la vie.

Un instinct, même brutal, est une source d'énergie dans notre psychisme, et l'énergie mentale, comme source physique, ne peut jamais être détruite.

Parfois, à l'exemple d'un abcès chaud, l'inflammation se poursuit sous la surface; finalement, la tension devient si forte que la matière gênante doit s'écouler au-dehors ou à l'intérieur.

C'est ainsi que les instincts contrariés, les émotions réprimées apportent du désordre dans notre vie: l'instinct est privé de son issue naturelle sans qu'une soupape de sûreté lui permette de dériver l'excès de vapeur dans une autre direction. Il se fraie alors un chemin inattendu dans une voie où il serait difficile de le reconnaître.

Les tics nerveux, la timidité morbide, les ruses, les supercheries névrotiques ou immorales des enfants et des adultes, les aberrations de tout genre peuvent être suivis à la trace jusqu'à leur origine qui est la répression brutale ou maladroite d'une manifestation émotive de l'instinct.

Ces actions étranges sinon bizarres ont une origine rationnelle, bien que la cause et l'effet semblent éloignés l'un de l'autre; mais c'est ainsi que le subconscient est forcé d'agir. Si la relation de cause à effet était simple et évidente, le processus ne demeurerait pas inconscient: l'individu devinerait ses propres motifs de conduite et c'est ce qu'il redoute le plus.

C'est surtout lorsque l'attention est distraite ou accaparée par quelque événement imprévu ou bien lorsque la maîtrise de soi est faible que les impulsions souterraines se manifestent à l'extérieur.

Si nous sommes quelque peu épuisés, ou si nous ne nous sentons pas bien, nos instincts cachés, mais actifs, émergent rapidement. Nous devenons irritables ou nous nous comportons d'une façon morbide. Nous faisons et nous disons des choses fantasques, nous adoptons des attitudes bizarres et incongrues.

Dans les moments de forte concentration mentale, où notre esprit s'abstrait de la situation présente parce que nos pensées sont occupées ailleurs, nos tendances secrètes se dévoilent aux yeux des autres par des gestes et mouvements divers, bien qu'elles échappent en général à nous-mêmes.

Durant le sommeil principalement, nos pensées secrètes s'échappent de leur prison subconsciente et s'introduisent dans nos rêves.

Les principales manifestations des instincts réprimés apparaissent ainsi:

1. dans les rêveries à l'état de veille
2. dans les rêves en cours de sommeil
3. dans les petites excentricités que l'on relève dans la conduite journalière.

Tous ces symptômes déroutants, énigmatiques, remontent à une même origine. Ils ont des causes définies et intelligibles. Dans la plupart des cas, ces causes sont mentales plutôt que physiques, émotionnelles plutôt qu'intellectuelles.

Les motifs de répression des instincts

Certains désirs, pensées et impulsions ne deviennent pas conscients parce que nous ne voulons pas qu'ils le soient. Ce sont, pour la plupart, des impulsions dont l'idée nous est insupportable, des envies, des souhaits que nous serions horrifiés de connaître. Nous sommes ainsi contraints de les garder enfermés dans les voûtes souterraines du subconscient.

De cette façon, nous supprimons nos pulsions instinctives, nous les renions, nous les désavouons. Nous ressemblons à l'autruche que la frayeur commence de poursuivre: nous enfouissons notre cerveau, nous le cachons derrière un voile, et nous sommes tout de suite convaincus que la cause de notre angoisse n'a jamais existé. Les éléments indésirables ou jugés tels deviennent inconscients; ils le restent par l'effet d'une force active qui les réprime, qui réfrène leur expression volontaire.

Sans le savoir, nous jouons presque tous ce jeu morbide. Par exemple, nous savons que nous mourrons un jour. Mais si nous voulons maintenir l'image mentale de ce fait, nous voyons qu'il est presque impossible de concentrer la pensée sur notre corps privé de vie. On repousse cette image presque malgré soi, on l'ignore, on n'y pense pas pendant des mois et même des années.

La répression de l'idée ou du désir est, le plus souvent, en elle-même, inconsciente, de la même manière que l'attention, fortement fixée ailleurs, supprime la douleur spécifique d'un mal ressenti.

Dans la vie quotidienne, nous ne sommes pas avertis des incitations à agir que nous avons réprimées; nous n'avons même pas conscience de cette répression. Il en est ainsi de nombreux faits déplaisants au sujet des pulsions de notre nature animale, faits sur lesquels nous fermons habituellement les yeux et qui s'agglomèrent dans les profondeurs du subconscient.

Nous héritons tous d'un instinct sexuel impérieux ainsi que d'un instinct de suprématie, de colère et d'hostilité. Dans nos relations ordinaires avec l'entourage, ces instincts sont excités, mais notre code moral et la décence qu'il comporte s'opposent à leur libre expression, secrètement désirée.

Pour réprimer les excitations, les émotions dérivées des forces de l'instinct, et pour canaliser leur énergie dans des voies socialement admises, il faut du temps, de la patience, de l'habileté, de la volonté.

Il est plus facile de ne pas les voir, de les chasser de l'esprit en les enfermant dans la prison souterraine et de nous persuader, à tort, qu'elles ne nous ont jamais troublés.

Les pulsions ainsi réprimées sont, pour la plupart, des pensées et des souvenirs mal accueillis parce qu'ils sont jugés coupables du fait qu'ils expriment des tendances difficiles à harmoniser avec notre situation et nos idéaux conscients. Les pulsions souterraines qui agitent le fleuve du subconscient sont fondées sur les instincts fondamentaux que nous ne devons pas renier et dont nous n'avons pas à rougir, bien qu'ils aient dû, d'abord, être contenus dans les premières années de l'enfance.

Au début, la contention est, dans une large mesure, la conséquence des influences exercées par les parents. À ce stade, il s'agit des tendances que l'on considère généralement comme immorales ou asociales et qui sont surtout des émotions personnelles, c'est-à-dire des sentiments ou instincts excités par des personnes.

Ce groupe de pulsions contenues par contrainte éducative comprend non seulement les instincts hostiles, mais aussi les instincts sexuels incomplètement développés.

Il s'ensuit que le subconscient de chaque individu contient en grande partie des idées et tendances de nature infantile et agressive, et, dans le sens large, de nature sexuelle.

C'est pourquoi les émotions excitées pendant les premières années de l'enfance sont d'une importance vitale pour la conduite et le destin futur de l'individu.

Pendant les quatre ou cinq premières années de la vie, l'hérédité se change en habitude, les fondations du caractère sont posées et les mobiles de comportement les plus profonds formés. On comprend que l'attitude des personnes qui nous entourent durant ce stade soit de nature à nous affecter profondément et irrévocablement pendant tout le reste de notre vie.

À ce moment et plus tard, toute intervention extérieure ou intérieure capable de modifier le subconscient réfléchit sur la destinée: dès que l'attitude mentale fautive a pu être dissociée à la lumière de la conscience par l'analyse psychologique personnelle, la vie change d'aspect pour le timide anxieux qui retrouve les chances normales de succès.

CHAPITRE X

Les conflits psychologiques intérieurs

Les phénomènes psychologiques n'existent qu'en fonction de l'activité qui les produit, de la direction des forces issues des tendances particulières qui soutiennent, en chacun de nous, cette activité.

La vie mentale est dynamique par nature; l'élément moteur est essentiel. Il n'y a pas de sensation, ni d'idée, d'états émotifs sans éléments moteurs. La plus simple des sensations s'accompagne de mouvements réflexes automatiques et de mouvements d'adaptation qui diffèrent suivant les individus.

L'analyse, l'expérience ont appris qu'il y a une grande part d'activité inconsciente dans l'homme, activité qui appartient réellement à sa vie mentale. Chacun sait, en particulier, que le mécanisme de la mémoire relie étroitement le conscient et le subconscient dans une vie psychologique commune.

Il arrive couramment d'oublier le nom d'une personne que l'on a rencontrée et de se le rappeler subitement, dans certaines circonstances. Nous savons que nous avons enregistré ce nom dans notre esprit, mais son souvenir siège au-delà de la zone éclairée par la conscience au niveau de laquelle il peut émerger en tout ou en partie.

Les souvenirs, impressions, sensations momentanément oubliés, mis en sommeil, appartiennent à notre vie mentale, même lorsqu'ils n'affleurent pas la conscience. Ils constituent en fait notre intelligence subconsciente.

Le subconscient fait partie de notre vie mentale parce que toute impression qui entre dans notre cerveau par l'intermédiaire de nos sens laisse une trace plus ou moins permanente dans nos nerfs. Cette trace est analogue à une orientation, à une réflexion, à un chemin frayé à travers des groupes de cellules nerveuses, avec rappel possible d'associations connexes.

Ce dont nous sommes conscients à un moment donné, constitue seulement une partie de la connaissance que nous pouvons rappeler, quand nous le voulons, des profondeurs subconscientes, sans parler du grand nombre de nos expériences conscientes, des choses vues, lues, ressenties que nous avons oubliées.

Le phénomène d'hypnose révèle le même mécanisme d'une façon différente: le sujet rendu inconscient réagit automatiquement aux suggestions de l'opérateur. Il ne peut pas se rappeler ensuite ce qu'il a dit ou fait sous cette influence. Le sujet peut même être forcé d'accomplir une action qu'il tend à exécuter après son retour à la conscience, sans qu'il ait de motif personnel conscient pour agir de la sorte.

Ici, comme dans le cas de la mémoire, on voit que le moi conscient, l'intelligence, a des niveaux conscients et subconscients.

La vie mentale subconsciente

Dans l'activité psychologique normale, le centre supérieur du cerveau, où siège matériellement la conscience, réside entre la stimulation que nous recevons et notre réaction psycho-physique à celle-ci. Nous devenons conscients de la réaction ou, tout au moins, de l'ordre reçu, du mot écrit qui la déclenche.

Dans l'hypnose, et aussi dans certains cas de somnambulisme et d'anesthésie, le centre supérieur du cerveau est mis hors circuit: la réponse à la stimulation est automatique, elle devient une réaction nerveuse réflexe.

Un grand nombre de phénomènes ou de processus variés que l'on peut appeler mentaux, confirment la présence de profondes réserves subconscientes au-dessous de la chambre claire de la conscience.

Dans la plus insignifiante des phrases que l'on prononce, dans la moindre ligne que l'on écrit, se retrouve l'influence de toutes les paroles entendues, de tous les livres qu'on a lus, de toutes les pages que l'on a écrites. Ces éléments obscurément enfouis en nous constituent le fond permanent de notre intelligence, avec sa coloration et son tour particulier.

L'expérience montre, en psychologie, que l'on peut seulement être conscient d'une chose à la fois, en sorte que ce dont nous sommes conscients dans le moment même est le seul contenu mental réel; ce qui suppose l'existence d'une vie psychologique subconsciente.

Il en est ainsi du musicien qui a appris un morceau difficile et qui le joue ensuite automatiquement. Cela se voit encore dans le phénomène de double personnalité, où le même sujet présente, tour à tour, deux personnalités tout à fait distinctes, différentes en tant que voix, caractère et même mémoire.

Dans ce cas, une personnalité (ou vie mentale) persiste d'une façon subconsciente pendant que l'autre est active.

Le rêve et la rêverie de l'artiste décèlent le même mécanisme. Ils montrent mieux que les exemples précédents l'étroite connexion qui existe entre les mondes conscient et subconscient. La création artistique, l'invention originale révèlent de même la double nature de l'intelligence. Dans ce processus, le moi conscient semble appeler, mander, convoquer les notions, les matériaux, des profondeurs du subconscient.

Souvent, l'œuvre croît sans une participation consciente de l'intelligence de l'artiste ou de l'inventeur. Les matériaux de l'idéal poursuivi sont emmagasinés dans son subconscient d'où ils émergent lentement dans la conscience. Les éléments s'organisent d'eux-mêmes sous le contrôle superficiel de la pensée. Le créateur semble neutre, indifférent, mais quelque chose d'actif apparaît en lui, au-delà de la conscience.

L'intelligence est une expression qui désigne une certaine part de notre personnalité. Nous avons les mêmes motifs de considérer comme mentales les impressions que nous avons emmagasinées inconsciemment au fond de nous-mêmes et les images et impressions qui émergent dans la conscience à partir des profondeurs de notre personnalité subconsciente.

La notion de *préjugé* est un témoignage du pouvoir du subconscient, car nous sommes rarement informés des sentiments ou impressions emmagasinés au préalable et qui créent le préjugé.

On peut dire que l'intelligence de l'homme ressemble à un magasin dans lequel peu d'articles sont mis en montre et de grandes quantités mises à la réserve, hors de vue mais à portée de la main, avec cette différence que les articles en réserve ont, pour la plupart, passé à l'étalage, c'est-à-dire séjourné un moment dans la chambre claire de la conscience avant d'atteindre la zone obscure du subconscient.

Au fond du subconscient réside la force active qui est le propre des artistes puissants, des organisateurs, de ceux qui font de grandes choses, des actions qui viennent de la part la plus élevée de l'humain.

Les visions et les voix inspiratrices viennent du pouvoir de projection du subconscient. Ces formes d'hallucination peuvent être d'une réalité étonnante, comme dans les rêves où les images et les voix nous semblent parfaitement réelles et actuelles, bien que la couleur fasse défaut.

Celui qui se rend compte de l'inspiration des écrits légendaires par le subconscient, avec l'intense impression de réalité qu'elle comporte, se libère de beaucoup de préjugés qui l'empêchent de suivre sa propre voie sur le chemin de la santé physique et psychique.

Les conflits d'impulsion

La vie est tissée d'essais et d'échecs, mais aussi d'essais et de réussites. Chacun peut faire effort pour améliorer les données de son jeu en équilibrant sa vie émotionnelle de manière à avoir des réactions émotives conformes aux événements et proportionnées à leur importance.

Rien n'est plus favorable à la santé psychique qu'un bon équilibre émotif; rien de plus néfaste que le désordre psychonerveux qui affaiblit l'esprit le plus pénétrant.

Si la capacité mentale est suffisante, mais le physique déficient ou le moral déprimé, l'individu confie à ses éléments émotifs le soin de le mener à travers la vie, avec tous les risques d'échecs que cette attitude comporte.

L'inconscient dynamique prédomine en nous par l'hérédité, l'influence du milieu et de la famille, les impressions et les souvenirs de la première enfance, même s'ils nous paraissent oubliés.

Nous réprimons et rejetons autant que possible, souvent complètement, hors de notre mémoire certains souvenirs, impulsions, expériences et principes de conduite; mais cela ne signifie nullement qu'ils n'existent pas sous une autre forme.

Le souvenir d'une expérience que nous avons faite, d'un succès ou d'un échec, peut ne pas retourner à la conscience pendant des dizaines d'années, puis revenir à la mémoire d'une façon inattendue, spécialement dans la vieillesse, la maladie ou l'état de faiblesse qu'elle entraîne. Cela prouve l'existence de quelque chose qui persiste dans le changement éprouvé par le système nerveux à l'occasion de chaque nouvelle expérience.

Quelle que soit la conception que l'on puisse avoir au sujet de ce que nous appelons une idée, elle a une base corporelle ou nerveuse, et l'on peut admettre que la base physique de l'idée trace le chemin qui conduit à l'action.

Jamais, en effet, on ne constate ni impulsion affective, ni réflexion consciente, ni activité volontaire sans un fonctionnement organique, c'est-à-dire sans un travail matériel.

La perception, la conscience et la notion du moi sont liées à un mécanisme cérébral. En outre, on observe que la personnalité disparaît ou se transforme à la suite de troubles dans le fonctionnement des organes, ou à la suite de lésions de ces organes; et aussi que la vie mentale est altérée par l'absorption de certains poisons, ou suspendue par l'action d'une forte secousse électrique.

Ces faits permettent de penser que notre comportement remonte à une base physique, préalablement gravée et enregistrée dans le subconscient comme sur une bande de magnétophone.

L'idée, ou modification physique des nerfs, qui fut jadis ressentie dans la conscience et qui maintenant siège apparemment oubliée dans le subconscient, cause une réaction nerveuse et musculaire qui prend parfois la forme d'une excentricité de conduite. Ce peut être un léger maniérisme, un geste inhabituel, une absence subite de mémoire, une prédilection ou une aversion inaccoutumée, un désordre nerveux ou une timidité excessive.

C'est l'indice d'un conflit intérieur, d'un état de tension émotionnelle qui résulte de l'incapacité où l'on se trouve de faire un choix entre deux désirs ou deux idées contradictoires.

Les impulsions sont des fonctions naturelles de nos organes lorsqu'ils sont en plein développement. La plupart des désordres nerveux qui engendrent la timidité ou qui s'y rattachent viennent de la répression de ces impulsions ou de la tension suscitée par le conflit qui s'élève entre l'impulsion naturelle et le contrôle de celle-ci par la raison.

Il faut se pénétrer du fait que les idées artificielles introduites au sein de la vie de société par notre civilisation ont provoqué des perturbations profondes dans l'harmonie naturelle de l'homme avec des troubles nerveux correspondants.

À cela nous devons remédier par une éducation franche et complète qui rende chacun conscient des conflits, des répressions maladroites ou injustifiées, de leurs causes et de leurs effets.

On peut considérer comme cause de conflit intérieur toute opposition entre le désir conscient d'accomplir tel acte, de réaliser telle situation, et la peur inconsciente attachée à l'exécution de ce même acte, à l'existence de cette même situation.

Le subconscient peut avoir une impulsion naturelle opposée à celle du conscient, ou bien il peut ne pas avoir la même impulsion que le conscient. Le conflit est plus intense dans le premier cas. Il s'aplanit quand un accord parfait se réalise entre le conscient et le subconscient. Sinon, le conflit se prolonge inconsciemment: le moi n'en constate que les effets.

Les effets du conflit peuvent se résoudre en une explosion brutale et rapide: palpitations, angoisse, trac, etc., c'est-à-dire en une crise nerveuse inconsciente suivie d'une sensation de bien-être, d'équilibre retrouvé.

Par l'effet de l'habitude qui crée les réflexes psycho-nerveux, le sujet finit par utiliser sans s'en rendre compte ce moyen de détente qui le libère de sa tension. Il ne fait aucun effort pour revenir à une expression émotive normale.

Un conflit sérieux entre les impulsions du moi conscient et celles de l'être subconscient, ignorées ou refoulées, paralyse beaucoup de personnes et les empêche d'agir d'une manière cohérente.

C'est là l'origine de tant d'hésitations mystérieuses et pénibles, d'un comportement à double face, par suite d'oppositions que l'on ne parvient pas à réduire entre le désir conscient et le désir subconscient.

Pour résoudre le conflit, pour que le moi conscient reprenne son rôle directeur, il faut rendre la situation claire, c'est-à-dire reconnaître la nature de la résistance inconsciente présente en nous.

L'attelage du subconscient et du conscient

La psychologie moderne admet que, sous la couche superficielle du moi conscient dans laquelle nous cherchons une explication complète des énigmes de la conduite humaine, il existe une couche plus profonde qui renferme la source d'énergie motrice la plus efficace de notre comportement, normal ou anormal.

Le subconscient, source principale de notre dynamisme, c'est la salle des machines dans les profondeurs du navire.

La matière grise de notre cerveau, c'est la passerelle de commandement avec les tableaux de contrôle et de commande, de manœuvre, de direction, d'orientation. Mais les puissantes machines à l'intérieur ont une prééminence effective parce qu'elles peuvent fonctionner d'une façon anormale et insidieuse en cas de désaccord entre les hommes du fond et ceux de la passerelle.

Le subconscient dynamique est une terre inconnue pour la plupart des gens; mais il n'est pas impossible de la découvrir, de la connaître.

Les barrières qui séparent le subconscient du conscient ne sont pas infranchissables; les zones de notre psychisme se confondent comme les courants d'un même fleuve; ce qui est au fond aujourd'hui peut remonter à la surface demain.

Il faut en savoir assez au sujet du subconscient pour comprendre les impulsions qui nous font agir et aussi analyser notre tempérament, nos émotions pour découvrir, par ces voies, les raisons de notre conduite.

Le subconscient repousse toutes les disciplines qui comportent un effort désagréable ou une souffrance. Il n'est jamais aussi raisonnable que le moi conscient. Il est crédule et sans discernement, à la fois puéril, anormal et fort. Il cherche à pénétrer le conscient pour l'influencer et le troubler.

Parce qu'il contrôle la salle des machines: système nerveux, appareils de circulation et de digestion, fonctionnement des glandes, des viscères, des tissus, l'être subconscient est renseigné sur les conditions de notre état conscient, de nos pensées et de nos émotions. Il sait ce que nous faisons et ce que nous pensons. Il ne dort jamais; sa mémoire est sans bornes. C'est par lui que notre personnalité s'alimente d'éléments contradictoires que nous ignorons en grande partie.

Les désirs et les buts de ces éléments diffèrent des souhaits et des objectifs auxquels est attaché notre esprit, en sorte que son double, le subconscient, exerce sur lui un pouvoir insoupçonné.

Conscient et subconscient sont toujours en lutte. Il ne se passe pas un jour sans qu'un petit incident ne nous oblige à concilier leurs divergences; ce qui ne va pas sans mal, car le subconscient est un mauvais génie qu'il faut tenir en bride, sinon il nous échappe et cherche à prendre le dessus.

Quand l'harmonie préside à l'union et au travail des trois éléments physique, affectif et mental de notre individu, le corps et l'esprit demeurent sains. Mais si l'un des trois éléments conjugués s'affaiblit ou s'altère, s'ensuit un déséquilibre qui diminue, souvent d'une manière appréciable, les possibilités du sujet. Dans ce cas, les facteurs indemnes, ou l'un d'eux, peuvent être utilisés pour suppléer l'élément fautif; la meilleure position étant celle où la bonne santé intellectuelle et morale fait contrepoids à la déficience corporelle.

Dans l'état de santé, le conscient et le subconscient marchent de pair. Ils collaborent, se prêtent une aide mutuelle, s'apportent des compensations réciproques, résolvent paisiblement leurs conflits sans les laisser croître.

En cas de défaillance psychologique, l'activité cérébrale subconsciente prédomine, avec aptitude au somnambulisme et tendance à la suggestibilité extérieure, c'est-à-dire à l'évasion du contrôle dont la timidité est un exemple.

Si le trouble est plus profond, l'activité psychique du subconscient s'organise aux dépens des éléments de la personnalité consciente, laquelle peut se systématiser ou se scinder en une ou plusieurs personnalités secondaires indépendantes qui entrent en conflit avec le moi conscient diminué et appauvri. Seul, alors, le contrôle conscient méthodiquement développé peut remettre les choses en ordre.

Le subconscient est, en effet, perméable à l'imagination, à l'imagerie mentale consciente. Il est l'instrument de notre affectivité; notre volonté ne peut pas le contraindre, mais il est émotion pure, donc malléable à l'aide de suggestions qui le stimulent émotionnellement.

Les résolutions des conflits

Nous venons de voir comment la plupart de nos actions sont inspirées par l'être subconscient qui règle le mécanisme du corps et contrôle notre vie mentale ainsi que notre vie affective, nos états émotionnels.

Pour atteindre la maîtrise de soi, nous ne pouvons pas ignorer toute cette partie obscure de nous-mêmes qui influence notre conduite pour le bien ou pour le mal, puisque le subconscient — mauvais génie — devient un bon serviteur si l'on sait le maîtriser sans l'opprimer.

Si vous êtes anxieux, tourmenté, timide à l'excès, c'est qu'il y a quelque chose de déréglé dans votre subconscient. Vous devez repérer ce quelque chose sans pour autant vous livrer à une analyse morbide de vous-même.

Pour parvenir à vaincre l'inquiétude, l'embarras, la pusillanimité, il faut vous attacher à connaître la nature et la cause profonde de vos troubles émotifs, puis les admettre franchement comme tels.

Ensuite, par l'entraînement mental, vous riverez le subconscient à sa chaîne, vous l'obligerez à collaborer avec votre volonté consciente de manière à rattacher chaque moment de la vie à une unité de conduite d'autant plus étroite que les actes accomplis offriront plus de continuité et d'équilibre.

Tout ce qui appartient à l'action est de la plus grande importance pour la vie mentale: la sensation n'existerait pas sans une dépense préalable d'énergie motrice. Les éléments de notre psychisme traduisent de façon consciente les résultats de ce travail profond. Nos pensées actives, nos tendances, nos sentiments plongent dans l'inconscient. Leur dynamisme nous pousse à agir, mais nous ne sommes pas toujours en mesure de différer nos actes jusqu'à ce qu'ils soient éclairés par la raison.

Si vous êtes faible et timide, l'action sociale volontaire vous est pénible, agir vous semble difficile ou dangereux; les opinions et les jugements d'autrui vous préoccupent d'une façon exagérée; les actes indispensables que vous accomplissez à contrecœur exigent de votre part un effort anormal. La raison de votre angoisse et de votre fatigue, c'est que les actes volontaires exigent une adaptation au milieu social et engagent la personnalité dans son ensemble.

Vous devez, pour retrouver l'équilibre de vos nerfs, agir sur les tendances qui constituent le fond de votre individu, de manière que ces penchants soient nettement coordonnés, qu'ils convergent vers l'action — orientée par la représentation d'un but — et que cette action s'exécute d'une façon précise.

Résoudre d'emblée les conflits intérieurs en rassemblant dans une large vision, aux conceptions riches et vastes, le plus d'aspects possible de choses, exige une grande puissance mentale.

En règle générale, les processus de la synthèse mentale équilibrante se réalisent avec lenteur d'une façon incomplète; souvent, il y a un manque de tension, de tonus vital, faiblesse et fatigue.

À la suite de conflits non résolus, le timide anxieux peut devenir apathique, sans ressort, sans courage en voyant sa vie insignifiante et vide alors qu'il avait caressé de grands espoirs. Dans son état d'âme douloureux, il perd le sentiment du moi et le goût de l'action: sans volonté, sans but, il se désintéresse de tout; ses idées se succèdent si vite qu'il ne peut les suivre, ni s'arrêter sur aucune d'elles. Il ressent aussi l'impression du déjà vu, du déjà vécu, qui est une forme du manque d'intérêt par affaiblissement de l'attention générale à la vie.

Si le sujet ne réagit pas avec énergie par une rééducation urgente de son psychisme, il risque de voir sa personnalité se dissocier, se diviser en parcelles dont l'une peut se détacher complètement du reste.

Le subconscient prend alors le dessus pour exercer un ascendant complet sur le moi conscient et l'obliger à abdiquer son rôle.

Les troubles nerveux qui accompagnent le dédoublement de la personnalité à la suite de conflits intérieurs violents et persistants se manifestent par des maux de tête, des névralgies, des insomnies, des cauchemars, du somnambulisme, des peurs maladives, la perte de mémoire, une fatigue générale.

Pour être à même de résoudre vos conflits, d'aplanir vos difficultés, de retrouver la joie de vivre, méditez le fait que le caractère essentiel de l'activité mentale est l'harmonie, c'est-à-dire la concordance des deux psychismes — conscient et subconscient — assurée par l'orientation du comportement vers un but final et par la systématisation des actes à accomplir.

Si vous voulez être d'accord avec vous-même, songez qu'en recevant les impressions extérieures, vous suivez vos propres tendances et vous accueillez surtout les stimulations qui sont en harmonie avec le contenu de votre subconscient. Songez aussi que l'idée qu'une chose et la réaction psychophysique qu'elle déclenche diffèrent toujours d'un individu à l'autre parce que les perceptions sensorielles et surtout les tendances instinctives sont différentes.

N'oubliez pas que ces mêmes idées et réactions varient avec l'âge, chez la même personne, selon le tonus émotif, l'affectivité et le niveau intellectuel du moment.

Seules persistent sans changement les idées et façons de réagir qui ont jeté des racines profondes dans le subconscient par l'effet des émotions, des sentiments et des habitudes.

Ne perdez pas de vue que chaque être humain avec qui vous entrez en contact perçoit ses sensations et y réagit selon l'idée qu'il se fait, personnellement, de l'univers, des choses qui l'entourent. Chaque individu fait correspondre à ses sensations ou à ses impressions la vision du monde qu'il porte en lui; c'est pour lui la seule réalité: celle qui commande spontanément sa vie intérieure et extérieure.

Vous diminuez les chances de conflit psychologique par contact social en observant que le facteur individuel s'accentue dans la vie pratique, surtout dans le domaine des sentiments, sur le plan concret de la vie affective.

Vous serez prêt à résoudre vos propres conflits en reconnaissant qu'exister, c'est agir et créer, exercer une activité ordonnée et cohérente, une activité de synthèse.

On reconnaît la bonne synthèse à la continuité dans l'action. Beaucoup s'élancent avec flamme pour accomplir une chose mais ils s'arrêtent en route parce qu'ils n'arrivent pas à appliquer de façon constante leur attention au travail entrepris; ils ne parviennent pas à associer vigoureusement leurs moyens.

Notez que, dans cette association, ce qui s'assemble ce sont les différentes parties d'un même tout vécu. Si vous voulez coordonner vos moyens d'action, utilisez l'image mentale stimulante d'un aspect de votre activité d'ensemble, image qui harmonisera votre psychisme en évoquant l'ensemble de l'acte dont elle fait partie.

Vous comprendrez mieux comment vous pouvez résoudre vos conflits intérieurs et ne plus être désaxé, inquiet et timide, si vous avez la conviction que chaque fait mental est un élément actif et complexe, un tout que l'on ne peut dissocier et que l'on doit maintenir à sa juste place.

Pour y réussir, il faut développer une attention suffisante pour saisir avec exactitude une perception ou une idée. Il faut aussi cultiver en soi le sens du réel. Il ne suffit pas de raisonner plus ou moins juste; il est même dangereux de subordonner ses décisions à des combinaisons d'idées.

Rappelez-vous que la personnalité tout entière doit prendre part à l'action et que, pour résoudre les conflits psychologiques, ou les éviter, les fonctions du raisonnement sont de beaucoup inférieures à l'adaptation exacte aux objets et aux circonstances.

CHAPITRE XI

Les conflits affectifs et les complexes

L'homme est une unité dans laquelle le facteur psychique et le facteur physique sont étroitement associés. La maladie qu'est la timidité excessive a ses racines aussi bien dans l'esprit que dans le corps. Elle ne se totalise pas uniquement dans la vie de l'organisme du sujet, mais dans l'ensemble des expériences concrètes qu'il a vécues.

Nous exprimons les émotions liées à nos expériences par des changements internes: la joie par le rire, la tristesse par les larmes, la honte par la rougeur. Lorsque les émotions ne peuvent s'exprimer et se libérer par la voie normale de l'activité réflexe ou de l'activité volontaire, elles deviennent la source de désordres physiques et psychiques.

En présence des conflits psychologiques notamment, les mouvements émotifs sont réprimés, écartés de la conscience et, si leur décharge sous une certaine forme d'activité est rendue impossible, il en résulte une tension chronique irritante qui est à l'origine de désordres dans la coordination et l'intensité des fonctions de certains organes.

Il y a d'abord déséquilibre fonctionnel du système nerveux et de l'organe qu'il contrôle; puis, l'action du trouble émotif persistant peut amener, à la longue, des changements dans les tissus c'est-à-dire des lésions organiques graves.

On peut voir, dans les conflits affectifs d'origine morale et sentimentale, la cause de certains troubles psycho-nerveux et de leurs prolongements sur le plan physique.

Ces conflits naissent et se développent par le contact journalier avec le milieu environnant: la complexité et la rigueur de la vie sociale font que beaucoup de nos pulsions émotives ne peuvent être extériorisées et converties librement en activité volontaire. Elles agissent alors sur les fonctions végétatives: circulation, respiration, digestion, excrétion, etc.

Le mécanisme des troubles psycho-organiques

Les facteurs psychologiques du conflit affectif plongent en général leurs racines dans les circonstances de la vie familiale et de la vie professionnelle.

Ce sont, en particulier, les soins reçus dans l'enfance, les expériences accidentelles d'ordre physique et affectif de l'enfant, le climat du milieu familial et les expériences ultérieures de la vie adulte.

Ces contacts sociaux entraînent des réactions psychiques majeures telles que anxiété, hostilité sourde, frustration de la satisfaction d'un penchant contrecarré, désir ardent de dépendance d'autrui, sentiments d'incapacité ou de mauvaise conscience, etc.

Le sujet peut, sous l'action d'un ou plusieurs de ces facteurs psychiques, devenir émotif, mécontent, insatisfait parce qu'il est privé des besoins affectifs de l'enfance: il a pu manquer d'affection, de tendresse, de joie, en face du père auquel il a voué une hostilité secrète, pour ne citer que ces exemples de déséquilibre émotionnel.

Les troubles consécutifs ont pour base commune un développement insuffisant de la personnalité du sujet dont l'évolution vers la maturité psychique a été stoppée ou retardée du fait de certaines expériences décevantes remontant aux premières années de l'enfance.

Le terrain psychique où se développent d'ordinaire les troubles psycho-nerveux engendrant la timidité, est celui que préparent les perturbations des besoins affectifs primordiaux, les sentiments consécutifs d'infériorité et de culpabilité, les événements dramatiques ultérieurs, notamment ceux qui concernent la vie sexuelle, la vie sentimentale.

Le choc affectif, cause de votre émotivité, a précédé d'un temps plus ou moins long le début du trouble. Vous avez souffert de conflits pénibles et vous n'avez pas trouvé de remède à cette situation qui vous paraissait sans issue. Vous êtes devenu anxieux et hyperémotif à la suite du renforcement progressif de votre sentiment d'infériorité et d'insécurité.

Cependant, vous recherchez la satisfaction et la sécurité, tout en contrôlant mal votre hostilité au milieu ambiant, et vous ne parvenez pas à renoncer aux exigences de vos instincts affectifs essentiels.

Vous réprimez certaines émotions parce que leur expression active et concrète libérerait votre tension psychologique, mais celle-ci ne peut se décharger par les moyens habituels sans entrer en conflit avec le code moral et social. Vous inventez alors des moyens d'expression propres à convertir ou à déplacer l'énergie émotionnelle mise sous tension afin de réduire autant que possible celle-ci. Vous dressez un mécanisme de remplacement contre la décharge interdite de vos émotions et vous les libérez ainsi d'une manière partielle.

En face de tâches particulières que vous estimez ardues ou dans les circonstances difficiles de la vie, vous ne dirigez pas votre activité vers le dehors; vous renoncez à la lutte, vous recherchez aide et protection, vous abandonnez vos problèmes extérieurs pour vous retirer dans les profondeurs de votre existence végétative.

Votre timidité s'accompagne d'une sensation de fatigue extrême dans un état émotionnel d'inadaptation à la vie réelle dont vous vous sentez incapable de retirer des satisfactions normales.

Vous adoptez, par cette attitude, une position de défense contre un monde qui vous est apparu plein de menaces pendant que vous étiez enfant, et cruel lorsque vous êtes devenu adulte.

Vos réactions et votre conduite répondent au désir d'échapper à un abandon, à une sécurité précaire dans la mêlée sociale et d'atténuer vos sentiments actuels d'angoisse à ce sujet. Vous réagissez à la situation présente suivant un mode déterminé par votre tempérament psycho-physiologique; mais ce mode de réaction a toujours ses racines dans votre passé.

Vos difficultés actuelles sont la conséquence directe des conflits de votre individu avec son milieu ainsi que des exigences, des angoisses et des sentiments de haine qui en résultent.

La formation des complexes inconscients

Nous appelons complexes les sources d'opposition irraisonnée qui existent dans le subconscient sous la forme d'un groupe d'idées d'accentuation émotive marquée, groupe qui, une fois détaché de la conscience, a été rejeté par celle-ci et maintenu au cachot.

D'une façon plus précise, un complexe est un groupe de perceptions ou de conceptions d'idées qui ont passé par la conscience mais qui peuvent continuer, dans l'ombre, à exciter des émotions et à influencer la conduite.

Le complexe englobe l'ensemble, acquis ou appris, des réactions émotives violentes, habituellement déclenchées par une stimulation unique et légère.

Le plus connu des complexes est celui d'infériorité qui peut se traduire, suivant le fond du tempérament, par une agressivité marquée ou par une timidité excessive.

Au fond du subconscient résident deux impulsions élémentaires: le désir sexuel et le désir de se faire valoir, de paraître quelqu'un aux yeux des autres.

Ce sont deux instincts primitifs que le code moral apprend à réprimer et à discipliner dès l'enfance pour rendre l'individu supportable dans la vie commune, sans qu'il puisse jamais les effacer en entier.

Ces instincts innés sont mis à l'écart selon un processus presque complètement inconscient par lequel nous oublions ou nous refoulons dans le subconscient les idées détestables auxquelles il est pénible de penser, les souvenirs qu'il est honteux ou douloureux de se rappeler, les désirs répréhensibles qu'il est interdit de satisfaire.

Le refoulement des instincts primordiaux engendre deux grandes catégories de complexes: ceux qui dérivent du sentiment d'infériorité et ceux qui sont d'origine sexuelle.

Ces complexes se subdivisent et s'associent, le plus souvent, pour produire des phénomènes qui retentissent sur le système nerveux sous forme de mélancolie, de neurasthénie ou de sensibilité et émotivité exagérées.

En somme, c'est parce que nous réussissons en partie à surmonter les pulsions instinctives qui bouillonnent dans le fond secret de notre nature que nous créons des complexes dont chacun peut être victime.

Il existe ainsi de nombreuses émotions morbides destructives qui peuvent siéger dans le conscient ou l'inconscient, à commencer par les complexes de l'enfance, et qui naissent de blessures affectives faites à l'individu aux instants critiques de sa vie.

De telles blessures proviennent, en général, d'événements perturbateurs tels que nouveau-né dans la famille, éloignement des parents, début de la vie scolaire, puberté, décès d'un parent proche, déceptions sentimentales, perte d'une personne aimée, échecs professionnels, conflits conjugaux, difficultés matérielles, déceptions apportées par les enfants, etc.

Chez un sujet normal apte à supporter les vicissitudes de la vie réelle avec patience et courage, il n'est pas utile ni même désirable d'amener au jour de la conscience ces complexes cachés pour en prévenir les effets. Il lui suffit, pour changer le cours des émotions destructives, de déceler et de reconnaître sincèrement les circonstances fâcheuses qui les ont provoquées, puis de résoudre les embarras superficiels résultants.

Chez un anxieux timide, l'hyperémotivité a été fixée, par un complexe, dans le subconscient. Dès lors, la personnalité acquise comporte une tendance inconsciente à la manifestation des symptômes physiques et moraux de la timidité.

Le complexe, quelle que soit sa nature, se forme et se fixe dans les conditions suivantes:

- Le moi conscient, assujetti par le code moral et social, se défend contre une pulsion instinctive blâmable, puis la refoule dans l'inconscient;
- La pulsion instinctive refoulée essaie de se faire jour à nouveau, de remonter à la surface où elle apparaît sous une forme déguisée qui constitue le symptôme du complexe;

- Le moi conscient est soumis à la pression constante d'un conflit entre la pulsion instinctive refoulée, d'une part, et le fait moral ou social qui, d'autre part, refuse ou châtie la satisfaction directe de l'instinct;
- Le moi conscient, incapable de dériver l'énergie émotionnelle ou de transférer la conduite vers une activité socialement acceptable, choisit le refoulement comme une solution provisoire à la contradiction existant dans son état de conscience;
- Le refoulement donne lieu à une forte accumulation d'énergie instinctive que le sujet éprouve comme un sentiment d'incertitude émotionnelle, accompagné d'inconfort ou de détresse;
- L'instinct que l'on a bridé, ne pouvant renoncer à trouver satisfaction, finit par se donner une issue sous forme de manifestations extérieures qui trahissent l'existence et la nature du complexe.

Un fait courant est celui de la transformation du désir sexuel refoulé en angoisse nerveuse.

L'angoisse du timide, issue de l'inconscient, a souvent pour cause, chez l'enfant ou l'adulte, le fait que ses parents ont pu lui infliger à maintes reprises des blessures morales dont il a souffert, avec un sentiment de préjudice et de ressentiment qu'il a réprimé.

L'esprit du sujet est alors envahi par le sentiment d'avoir été traité d'une façon injuste, mal compris ou rudoyé, ce qui empêche l'expansion naturelle de l'affection familiale et provoque une résignation accompagnée d'une rancune qui croît avec les années. Cet état d'hostilité sourde, non manifestée, entretenu inconsciemment, engendre chez le sujet une angoisse qui le tourmente et dont il ignore l'origine, angoisse qui se traduit, entre autres, par les symptômes de la timidité.

Les manifestations psycho-physiques des complexes

Lorsque des impulsions honteuses ou déraisonnables, que la morale sociale réprouve, sont refoulées et cherchent à gagner le domaine de la conscience, le conflit d'impulsion qui s'élève est résolu par un compromis en général peu satisfaisant.

Le complexe se libère alors par une activité de remplacement, déguisée et masquée, qui provoque l'apparition des symptômes: la peur maladive, la timidité, l'angoisse nerveuse, manifestations du complexe morbide issu d'un mauvais compromis.

En s'échappant de l'inconscient par une voie détournée, le complexe peut superposer ses symptômes aux traits de caractère du sujet. Ces traits, qui peuvent être bons en eux-mêmes, apparaissent alors sous une forme exagérée: la surcharge émotive leur donne l'aspect de manifestations psychonerveuses anormales.

Par exemple, si le sujet est porté vers l'activité extérieure plutôt que vers la réflexion interne, l'énergie propre du complexe s'ajoute à l'énergie surabondante du sujet pour produire une excitation fébrile, avec un excès de paroles et de sociabilité.

Le complexe de supériorité, qu'affirme le fanfaron vaniteux, ne doit pas être entretenu trop longtemps surtout dans la jeunesse, sous peine de miner l'énergie disponible, une portion de cette réserve motrice étant employée à refouler les ardeurs excessives, les élans inconsidérés, au détriment des activités normales.

Si le complexe est tel qu'il ne trouve pas à s'exprimer par une amplification des traits de caractère, il le fait sous la forme de malaise physique et de nervosité, avec angoisse, obsession, c'est-à-dire par un désordre nerveux ou psychologique qui rend le sujet incapable de retirer des satisfactions de la plupart des activités normales de la vie.

Cet état de névrose résulte de la libération inconsciente de l'énorme énergie du complexe, sans que le sujet ait la révélation de l'existence du complexe lui-même.

Dans les états émotionnels de névrose, on observe souvent une certaine perte de mémoire: celle-ci se dérobe, en effet, aux choses dont on ne veut plus entendre parler; les émotions peuvent effacer un souvenir de notre moi conscient, mais en même temps, elles l'ancrent solidement dans le subconscient. Les symptômes observés par le sujet, les anomalies de son comportement, ne sont pas l'effet du hasard. Pour les combattre, il faut en démêler l'origine et en comprendre le sens, car ils sont en rapport avec la vie mentale personnelle de l'individu.

Ainsi, la cause première inconsciente du complexe d'infériorité, c'est le fait de se sentir inférieur à sa tâche familiale, professionnelle ou sociale.

Ce complexe, dont la base peut être imaginaire ou réelle, joue un grand rôle dans les manifestations morbides, à tous les âges de la vie et dans toutes les conditions sociales.

En général, le sujet n'aime pas fréquenter les autres, de peur d'être jugé défavorablement. Ce sentiment peut se traduire par une timidité farouche qu'accompagne une attitude hostile avec penchant à la critique agressive.

Sur le plan physique, le complexe d'infériorité se marque par un air hésitant, des gestes maladroits, une parole embrouillée ou un débit trop rapide, de la négligence dans l'habillement, des malaises corporels successifs, que le sujet met en avant pour éviter de participer à la vie sociale.

Dans le domaine psychique, le sujet peut faire éclater sur un inférieur, à la première occasion, la mauvaise humeur qu'il n'ose pas exprimer devant un chef. Il peut aussi refuser un poste important parce qu'il a peur de ne pas y suffire. Cette attitude régressive traduit la manifestation d'un complexe de jeunesse que la réussite dans la vie avait effacé, alors que le sujet ne peut briller, au fond, qu'en sous-ordre.

Au complexe d'infériorité, s'ajoute souvent le désir inconscient de se punir soi-même de certains actes qui correspondent à des désirs instinctifs réprouvés par le moi conscient ou à des sentiments qu'il interdit.

La punition consiste à se créer à soi-même des difficultés d'ordre matériel ou moral, à se faire subir des échecs humiliants, à manifester des symptômes désagréables de maladies, etc. Le moi conscient s'émeut de ces échecs répétés, que n'explique pas une incapacité réelle, ou il s'étonne des malaises et maladies sans cause précise dont il ignore la valeur de symbole par rapport au complexe.

Les différents types de complexes se manifestent plus ou moins brusquement au grand jour ou bien ils demeurent enfouis pour un temps avant d'envahir la conscience avec le consentement d'abord secret, puis volontaire et actif, du sujet.

La situation se prolongeant, un sujet timide hyperémotif peut s'engager dans la voie d'un état de psychose qui lui enlève tout esprit de critique à l'égard de son comportement anormal et le conduit à laisser ses pulsions égoïstes prendre le pas sur les us et coutumes de la société.

L'évolution de l'instinct sexuel

La psychologie moderne admet que l'instinct sexuel se manifeste chez l'enfant sous des modes et à des degrés divers avant d'aboutir à sa fin normale qui est l'instinct de reproduction.

On s'accorde à reconnaître la très grande fréquence des préoccupations sexuelles, plus ou moins cachées sous la forme de complexes, au cours des désordres psycho-nerveux qui interviennent dans la vie de l'adulte, notamment les actes de timidité anxieuse. Sous ce rapport, les troubles de la vie sexuelle de l'enfant ont une influence considérable dans le développement ultérieur des névroses et des psychoses.

Naguère, on croyait à tort que les manifestations de l'instinct sexuel n'apparaissent qu'à l'âge de la puberté et qu'avant l'adolescence, l'enfant ne peut manifester aucune sexualité normale ou anormale.

On peut constater chez l'enfant une sexualité précoce dont les manifestations sont variables, en force et en mesure, et souvent trompeuses. Elle reste souvent ignorée du sujet lui-même et, à plus forte raison, de son entourage.

La sexualité existe chez l'enfant normal dès son plus jeune âge, alors que l'attraction envers les personnes de sexe différent est encore très faible. De bonne heure, l'enfant présente des manifestations qui indiquent l'ébauche d'une vie sexuelle fondamentale. En outre, on peut déceler chez tout enfant normal, le germe des anomalies ou des perversions sexuelles de l'adulte.

Ces manifestations de l'énergie qui s'expriment à travers les sentiments, les désirs et les actes d'origine sexuelle disparaissent peu à peu du fait que la censure éducative, familiale, morale, sociale et religieuse agit sur l'enfant avant qu'il ait atteint un certain degré de maturité.

Pendant que s'exerce cette discipline, au cours des premières années, l'enfant est particulièrement sensible à certains chocs affectifs que les parents et les maîtres ne soupçonnent généralement pas. Les incidents de la vie sexuelle de l'enfant sont multiples et il importe d'en connaître l'existence, car ils peuvent laisser des traces fâcheuses dans toute la vie de l'individu.

Sous cet aspect, l'éducation sexuelle ne se confond pas avec une initiation précoce aux fonctions de reproduction, car il n'est pas prouvé qu'une instruction de cet ordre donnée à l'enfant avant la puberté, ne lui occasionne pas une blessure affective dont les conséquences seront aussi nuisibles qu'une révélation imprévue, équivoque ou grossière.

Le développement psycho-moral de l'enfant a lieu par la mise en action quasi automatique d'un mécanisme glandulaire interne qui se complique avec l'âge: une initiation trop précoce risque de fausser le jeu de ces rouages délicats. L'enfant se développe selon un mouvement continu de croissance, mais avec un élan irrégulier selon les sujets. Le psycho-dynamisme est permanent, mais l'intensité et l'orientation peuvent varier suivant les individus.

La meilleure éducation générale doit tendre à réaliser ce qu'il y a de meilleur dans chaque sujet et à lui permettre d'atteindre son plus complet épanouissement en accord avec ses tendances, ses besoins, ses capacités. Dans cette optique, il n'est pas de méthode unique qui puisse être employée, d'une façon rigide, à l'éducation sexuelle de tous les enfants.

D'une part, l'éveil trop précoce à la conscience des désirs sexuels vagues qui n'ont pas l'occasion de se traduire en actes risque d'engendrer et de fixer définitivement des déviations morales ou des alternatives de conduite qui n'auraient été qu'accidentelles et passagères. D'autre part, le refoulement brutal de certaines tendances vitales peut avoir, dans l'avenir, des conséquences déplorables telles que phobies, obsessions, timidité excessive, inhibitions et autres réactions anxieuses.

La nécessité de l'éducation sexuelle découle du fait que la sexualité infantile évolue d'une façon différente, selon chaque enfant, et que cette évolution, si elle est contrariée ou déviée, est très souvent à l'origine de troubles psycho-nerveux chez l'adulte.

Chez l'enfant, la sexualité est pendant longtemps inconsciente. Il peut y avoir un réel danger à la rendre trop tôt consciente. Mais l'instinct sexuel latent du jeune âge, au lieu de s'exprimer dans sa simplicité animale, peut être canalisé dans des jeux ou des attractions, sortes d'évents de l'activité sexuelle.

La pratique de l'hygiène corporelle, des exercices physiques et mentaux ainsi que celle des arts, est une forme d'éducation efficace pour détruire les germes de certaines déviations ou anomalies de la sexualité infantile. L'enseignement des fonctions de reproduction chez les plantes et les animaux, l'habitude de parler franchement et scientifiquement des fonctions sexuelles sans y mêler la notion d'interdit, préparent normalement l'éclosion de la puberté. L'initiation en quelque sorte élémentaire doit commencer bien avant l'adolescence proprement dite, mais elle doit être progressive et adaptée à l'âge physiologique et mental de l'enfant ainsi qu'à son milieu familial et social.

À l'adolescence, quand l'instinct devient plus fort et que les désirs se précisent, l'instruction doit être complétée dans le sens médical en vue de prévenir les exercices et accidents sexuels possibles, sans que le sujet soit amené à éprouver des craintes excessives à ce propos. À partir de cette période, le bagage sexuel dont l'adulte doit se pourvoir tendra à le préparer au mariage, même précoce, qu'il faut réaliser et réussir pour le plus grand bénéfice de l'individu et de la race.

Le problème sexuel et la culture humaine

Puisque le problème sexuel revêt une importance extrême dans l'éducation, il faut suivre les enfants à ce point de vue et se garder, avant tout, de la dissimulation habituellement pratiquée en la matière.

La vie sexuelle se répercute dans tous les domaines. Elle est la base d'une foule de désirs et d'impulsions qui lui semblent étrangers. Elle est à l'origine des plus puissantes inspirations, comme des pires déboires.

La vie est l'expérience, et l'expérience du sexe est parmi celles qui offrent le plus de dangers. En présentant les faits de la vie sexuelle comme mystérieux ou honteux, on crée le trouble, l'inquiétude ou le remords chez les enfants sensibles dont la nature est précoce; ou l'on attise la curiosité dans un sens malsain chez les natures calmes qui désirent simplement savoir. On court le risque de dépraver inconsciemment l'enfance en rendant équivoque et scabreux un ordre de désirs, d'émotions, de fonctions qui, pour être noble et normal, a besoin de s'affirmer.

Au point d'évolution que nous avons atteint, la fonction du sexe n'est pas seulement de perpétuer l'espèce: elle doit être comprise en vue de l'intérêt de l'union conjugale et du bonheur dans le mariage, qui est le but suprême de la vie, tant pour l'homme que pour la femme.

L'attitude mentale à développer, à créer, c'est le respect pour les fonctions de la génération dont le caractère est universel et sacré. Il n'y a ni organes inférieurs, ni fonctions viles; mais il y a un danger: celui de l'ignorance ou celui des révélations grossières et de la perversion.

Les adolescents doivent pouvoir apprendre ouvertement tout ce qui les touche afin que leur désir légitime de connaître les choses du sexe ne soit ni refoulé, ni entaché de suspicion, ce qui le rendrait malsain. La vie intime de l'individu doit être guidée sur le plan sexuel sans mépriser aucune tendance. Celui qui n'a pas des instincts normaux ou qui souffre d'un complexe d'origine sexuelle n'en est pas directement responsable. Les anormalités de tendance accompagnent, souvent, des facultés exceptionnelles. Une tendance anormale maîtrisée et sublimée peut être une force créatrice importante dans la vie.

La culture humaine se doit d'avertir et de conseiller les jeunes gens sur le point de faire des expériences afin de ne pas les laisser se jeter dans l'inconnu sans se connaître eux-mêmes.

Se connaître et connaître la vie, c'est le but de la culture de l'homme; et l'instinct sexuel est le plus proche de la vie. C'est pourquoi, il faut diriger la tendance sentimentale, qui obéit au même besoin que le désir physique, vers un désir d'union idéal — forme affective de la sexualité — et laisser s'établir franchement la camaraderie entre les sexes.

Nous avons entretenu dans le passé l'idée que le sexe était une chose à cacher et à maintenir dans l'ombre, en dépit de nos besoins légitimes.

De nombreuses personnes ont souffert moralement et même physiquement de ce tumulte émotionnel inutile et indésirable. On estime qu'un tiers des désordres mentaux fonctionnels ont comme cause première ou comme cause seconde une mauvaise adaptation à la vie sexuelle.

Si l'instruction est donnée aux enfants d'une façon graduée et intelligente pour leur permettre d'assimiler les faits de la vie sexuelle dès qu'ils en sont mentalement capables, elle ne peut que diminuer les excentricités, la timidité morbide, les névroses qui résultent d'un mauvais ajustement de la personnalité à l'ambiance.

L'adolescent informé des faits sexuels cherche en général un supplément d'information concernant les moyens et les techniques d'où, souvent, une préoccupation dirigée dans un sens qui n'est pas entièrement sain, souci qui peut se prolonger à travers la vie adulte.

De plus, la conduite sexuelle étant souvent traitée comme un sujet plus ou moins dangereux et répréhensible, pareille attitude peut développer chez le sujet des sentiments de culpabilité et de honte qui se répercutent sur le plan mental, notamment sous la forme de rêveries et d'imaginations morbides.

Le rêve éveillé, caressé, procure une échappatoire pour l'énergie des désirs sexuels non satisfaits. Tout le monde se laisse aller plus ou moins à des rêveries qui s'orientent en général dans le sens de nos souhaits les plus chers: amour, volupté, ambition, affirmation de soi.

Le danger de tels rêves, quand on a pris l'habitude de s'y adonner, est de faire apparaître la réalité sous des traits tristes, décevants, et la vie comme un piège sans issue avec pour résultat que la rêverie se transforme en angoisse, c'est-à-dire en une peur panique si le problème sexuel initial a été refoulé dans le subconscient où l'on enfouit ce que l'on ne veut pas regarder en face.

Les complexes d'origine sexuelle

L'appétit sexuel, le domaine du sexe, est beaucoup plus étendu qu'on le croit communément. Avant la puberté, il est diffusé dans l'organisme; il est concentré dans les organes de la génération quand ils atteignent la maturité.

La succion infantile, avec ses mouvements rythmiques, se rapproche, selon certains, d'un plaisir d'origine sexuelle par le fait que la bouche et les lèvres sont des zones créatrices d'amour physique qui, dans la vie normale, retiennent leur signification dans le baiser. Selon d'autres, cette succion réalise le premier contact physique entre le nouveau-né et le monde extérieur personnifié par la mère, monde dont l'enfant a entrepris la découverte.

À mesure que l'enfant approche de la puberté, les zones érogènes tendent à se concentrer, à travers les nerfs spinaux, dans les régions des organes reproducteurs. Ce sont là des phénomènes naturels dont on ne doit pas avoir honte: la nudité saine, avec sa sensualité élevée, ne doit pas être rabaissée et humiliée.

Quand l'enfant a passé l'âge où le plaisir sexuel, confondu avec l'amour de soi, est diffusé sur tout le corps, il fixe son appétit sexuel sur ceux qui le touchent de plus près: père, mère, nourrice, et finalement, à l'approche de la vie adulte, il le concentre sur une personne du sexe opposé, en dehors du groupe de la famille.

L'attachement de l'enfant au parent du sexe opposé peut être si fort qu'il entraîne une aversion manifeste pour le parent du même sexe. S'il n'y a pas simple préférence mais attirance exagérée, ce qui est anormal, c'est un indice de déviation de l'instinct sexuel, déviation qui peut découler de l'attitude des parents envers l'enfant et entre eux.

Dans les cas extrêmes, l'enfant peut éprouver un sentiment d'animosité envers les deux parents. Il devient alors rebelle d'instinct; il prend l'habitude de regimber contre toute autorité extérieure.

En général, un enfant de deux à cinq ans transfère son appétit sexuel diffus sur le parent de sexe opposé. La façon dont l'enfant est guidé à cet âge est très importante puisqu'une large part de la psychologie anormale dans la vie adulte est due à la pression des émotions de l'enfant qui ont été maladroitement réprimées ou mal sublimées, c'est-à-dire non dirigées vers des activités constructives convenant à son âge et à son développement.

L'enfant désire le parent du sexe opposé, lorsque ce désir est excessif, il est naturellement freiné, réprimé, mais il demeure un complexe dans le subconscient. Ce complexe est une source d'instabilité nerveuse; il peut être cause de sentiments extrêmes de honte et de culpabilité qui déséquilibrent la personnalité psycho-morale de l'individu.

Par exemple, le garçon peut voir dans son père un rival pour l'amour de la mère; comme il se doute que de telles émotions sont anormales, il les refoule dans le subconscient d'où elles émergent sans cesse. Il devient nerveux et timide ou encore violent et cruel.

Plus tard, le jeune homme épousera une femme aussi semblable que possible à sa mère. Il acquiert ainsi un sentiment subconscient ou semi-conscient d'union avec la mère; puis, le complexe évolue en aversion pour l'épouse. La jeune fille qui méprise sa mère choisit un mari à l'image du père, avec les mêmes résultats.

Le refoulement sexuel conduit à des crises émotives. Par exemple, si l'on réprimande constamment l'enfant qui demande des explications à propos du sexe, les relations et phénomènes de cette espèce seront associés ultérieurement avec la crainte et l'angoisse sinon le dégoût. Le refoulé sexuel devient timide; le malhabile sexuel aussi, car la maladresse sape la confiance en soi et engendre le trac sexuel, c'est-à-dire un état d'infériorité et d'inhibition créé par le sentiment de l'incapacité physique en amour. Il s'agit d'une angoisse créée par le désaccord entre le désir qui obsède et l'incapacité momentanée de le satisfaire.

Dans la pratique, le timide se trouble par la fausse conscience qu'il éprouve de son incapacité. Cette attitude entre sans cesse en lutte avec le désir exalté par l'imagination; ce qui augmente, à chaque insuccès, le sentiment d'infériorité. L'intéressé est angoissé, obsédé par l'idée de l'échec: la suggestion s'implante dans le subconscient avec l'idée d'impuissance et le trac réapparaît tant que l'imagination n'a pas été rééduquée comme il convient.

CHAPITRE XII

L'analyse psychologique personnelle

La timidité résulte d'une adaptation imparfaite de l'individu à son entourage, au milieu dans lequel il vit. Ce n'est pas une maladie des nerfs, du cerveau ou de toute autre partie du corps, mais un «désordre».

La timidité est simplement le dérèglement psycho-physiologique d'un sujet qui est sain et normal par ailleurs, dans la plupart des cas. C'est un problème personnel, une question de réactions individuelles dont la réponse est: «Connais-toi toi-même».

Ce sont des phénomènes affectifs, et non la raison, qui causent des complexes psychologiques et des troubles fonctionnels. Pour les éviter, il faut mettre en pleine lumière les éléments de ces complexes ou conflits qui conduisent à des états nuisibles de tension nerveuse, afin de ne pas avoir à réprimer les tendances obscures qui nous poussent à accomplir des actes interdits, prohibés.

En cas de déformation de la personnalité par des conflits ou des complexes anciens, il faut faire effort pour se voir tel que l'on est et pour se délivrer de ces mécanismes mentaux défectueux qui portent un préjudice considérable à l'individu, dans la famille et dans la société.

Pour vous délivrer de la timidité excessive et des troubles qui l'accompagnent, vous devez d'abord connaître la forme de traitement qui vous convient d'après vos façons personnelles de réagir. Pour cela, il faut analyser votre tempérament avec les méthodes qui utilisent toutes les ressources de la psychologie appliquée.

Le timide prenant connaissance de ce qui est refoulé en lui, ramène son subconscient à la conscience. Il a ainsi la possibilité de suivre un traitement en meilleure connaissance de cause, c'est-à-dire de mieux résoudre les conflits ou de mieux remédier aux déficiences, par une action pratique.

Dans le traitement mental, l'analyse psychologique peut rappeler à la conscience les expériences ou les souvenirs oubliés qui sont à l'origine des troubles du caractère et des symptômes morbides. Les symptômes psychiques sont presque toujours en relation intime avec les personnes et le milieu auxquels le timide est ou a été lié, tandis qu'il rattache ces symptômes à une maladie ancienne ou à un dérangement physique actuel.

Il faut que le sujet puisse s'expliquer les véritables causes: celles dont il ne se doute pas. Il s'agit de mettre à nu les états organiques ou les complexes auxquels les symptômes de la timidité se rapportent, ainsi que les émotions liées à ces états ou à ces complexes, de manière à libérer l'énergie sous pression dans le subconscient.

Les buts de l'analyse psychologique

Lorsque le complexe cherche à faire irruption dans la sphère du conscient, le sujet devient anxieux et timoré. Le complexe l'affaiblit au point qu'il n'a plus la force de se concentrer sur les problèmes quotidiens.

Il faut que le sujet se libère du conflit intérieur, de la lutte sourde contre ses instincts comprimés et qu'il rétablisse l'équilibre de ses émotions en se dévoilant à lui-même les impulsions secrètes qu'il repousse.

Ces impulsions sont d'origine psycho-biophysique. Leur formation étant une chose naturelle, il faut l'admettre franchement telle quelle et n'y ajouter aucun sentiment artificiel de honte ou de culpabilité. La technique de l'analyse psychologique permet de prendre conscience des impulsions internes, animales et instinctives. Ensuite, les impulsions refoulées doivent être libérées graduellement, en même temps que s'opère la rééducation psychique du sujet.

L'énergie du subconscient doit trouver une issue vers le conscient; mais elle ne doit pas nécessairement émerger à la conscience sous la forme fruste de la tendance réprimée. L'énergie sexuelle peut, par exemple, se consumer en travaux d'art, en exercices musculaires, en études ou en recherches, suivant le tempérament du sujet.

On entraîne les mécanismes mentaux à des déplacements d'énergie, à des transferts d'un mode d'expression à un autre, à une adaptation de plus en plus complète aux diverses activités de la vie; ce qui permet à l'énergie passionnelle de s'échapper impunément du subconscient.

Pour isoler et enlever la racine psychologique de la timidité et de la nervosité en général, il faut recourir à la psychoanalyse qui élargit la connaissance de la personnalité et de ses troubles. Une telle analyse explore le domaine des instincts qui fournissent l'énergie dont dépend le déroulement de la vie psychique. Elle met en lumière l'influence que les processus affectifs exercent sur la santé générale du corps, la vie morale et la vie intellectuelle. Elle souligne que le plaisir instinctif doit, à mesure que le sujet grandit, être remplacé par une idée de réalité sociale qui nous pousse à renoncer délibérément à la satisfaction directe et immédiate de beaucoup de tendances et instincts hérités de l'homme des cavernes.

L'analyse psychologique pratiquée avec ou sans aide permet de comprendre le mécanisme subconscient et de découvrir la source des troubles psycho-nerveux: celle du prix que le sujet doit payer pour avoir eu, souvent malgré lui, des impulsions inconscientes déraisonnables.

En éliminant les obstacles subconscients, l'analyse psychologique permet de vaincre les difficultés que tout individu rencontre sur le chemin de son développement personnel et social. Les facteurs primordiaux qui mènent à la bonne santé psychique et physique sont l'acquisition, par le sujet, d'une connaissance plus approfondie de lui-même et du milieu où il vit.

La lumière que l'analyse apporte aux problèmes personnels du timide le conduit à une cure permanente de son état d'émotivité excessive. Elle l'équipe en même temps pour comprendre les problèmes des autres; elle l'arme pour leur appliquer au besoin les mêmes méthodes.

L'étude de la personnalité

L'analyse psychologique personnelle vous aidera à vous délivrer de vos complexes, à déterminer les points faibles de votre tempérament et à les renforcer, à déceler les causes secrètes de vos états de santé défectueux et à les combattre, à savoir dans quel sens vous devez développer votre personnalité et transformer votre caractère.

Un caractère est une résultante qui ne se comprend que par la connaissance de son évolution durant l'enfance et pendant l'adolescence, sans négliger les dispositions individuelles, les préparations, les accidents.

Il existe de nombreuses perversions ou déviations instinctives d'ordre sexuel, dont la plupart résultent de chocs émotifs imprévus. Les sujets qui en sont atteints risquent de devenir des timides anxieux. Ils ont présenté, en raison de certaines circonstances, des troubles de leur évolution qui ont mis en échec leur sexualité normale, en la faisant considérer comme une tare honteuse.

Les déviations d'ordre sexuel peuvent exister isolément chez les sujets par ailleurs fort moraux, mais dont les tendances sentimentales, l'hyperémotivité sont susceptibles d'engendrer des troubles ou désordres nerveux fonctionnels qui ne s'accompagnent d'aucun changement organique dans la structure du corps.

Les troubles du caractère — parmi lesquels figure la timidité — et les dérèglements fonctionnels correspondants des différents organes ou systèmes physiologiques sont la conséquence de perturbations émotives liées, le plus souvent, à des difficultés d'adaptation à la vie familiale, sociale, sexuelle, professionnelle, etc.

Les perturbations émotives habituelles engendrent la peur chronique, le souci permanent, qui mène à l'épuisement nerveux. Le sujet sensible se tourmente quant à l'avenir, ce qui augmente ses préoccupations présentes. Il gaspille son énergie nerveuse pour éviter des maux imaginaires; il paie ce gaspillage par des troubles de la circulation et de la digestion.

En cas de dépression nerveuse, le sujet exagère les symptômes, les sensations, les situations. Il amplifie démesurément toute chose, il raisonne d'une façon superficielle, avec un jugement hésitant et mal fondé. Cet état est acquis, souvent du fait d'un instinct de conservation peu ou mal sublimé, de la part d'un individu ultrasensible.

Les sentimentaux sont des émotifs prédisposés à la timidité et aux désordres fonctionnels qu'elle implique; puis viennent les passionnés, les colériques et les apathiques.

L'étude de la personnalité porte d'abord sur les progéniteurs et autres membres de la famille: l'ovule maternel donne **l'impulsion émotionnelle,** l'affectif physiologique; tandis que le germe paternel donne **l'impulsion intellectuelle,** le mental psychologique.

Viennent ensuite l'histoire de l'individu: naissance, enfance, adolescence, vie scolaire, professionnelle, sociale, sexuelle; puis, le physique: structure, organes, glandes, neurones, santé générale.

L'étude se poursuit par l'examen de la constitution mentale: tempérament, attention, mémoire, imagination, obsessions, etc.; puis, de l'activité sociale: conduite avec l'entourage, comportement extérieur qui montre comment le sujet fait face aux situations nouvelles et anciennes, par échec ou compromis, par tendance à attaquer la situation ou à la fuir.

Les troubles du caractère

Le caractère est déformé, dévié, lorsque le sujet ne parvient pas à s'adapter aux êtres et aux choses qui l'entourent. Par suite de tiraillements qui remontent au milieu familial et à l'éducation reçue, le sujet ne peut établir un compromis satisfaisant entre ses désirs et aspirations propres et les besoins d'autrui, ou vis-à-vis des obligations qui découlent des circonstances.

Le conflit intérieur permanent, autrement dit le complexe, provoque un mécanisme de défense, valable au début, qui s'organise ensuite en système suivant le tempérament du sujet.

C'est ainsi que le timide, par sentiment de culpabilité conscient ou inconscient, dont l'enfance a été semée de conflits non résolus, ne se lie pas facilement par la suite et échoue dans les contacts sociaux. Il ne retire en général que peu de satisfaction de son métier parce qu'il n'arrive pas à s'y intéresser. Sa vie conjugale le déçoit aussi parce qu'il est incapable d'aimer tendrement et sans arrière-pensée.

Sur ce terrain propice au développement d'une névrose, on rencontre des caractères devenus anormaux par quelques-uns de leurs traits, et que l'analyse psychologique fait apparaître habituellement.

Le nerveux émotif. Le groupe des timides compte beaucoup de nerveux cérébraux qui ne résorbent pas les chocs psychologiques: ils se contractent et subissent l'ébranlement; leurs réactions tardives sont souvent maladroites parce qu'ils pensent les choses avant de les éprouver, et les événements au lieu de les sentir.

Le cérébral pur met toujours son cerveau en avant et lui fait supporter les chocs. Il devient inquiet parce qu'il ne se fie pas à ses réflexes. Il manque de souplesse, se raidit et souffre parce qu'il ne consent pas à laisser aller les choses et à manœuvrer suivant le vent. De timide au début, le nerveux émotif peut devenir hargneux, malheureux et méchant.

Le contredisant. Ce timide prend le contre-pied systématique des circonstances plus ou moins chaotiques de son éducation familiale qui l'ont fait souffrir ou qui l'ont choqué. Sa méfiance excessive du présent peut venir des dénigrements acerbes qu'il peut avoir entendus dans les conversations familiales, au foyer. La méfiance persiste si l'enfant constate, par la suite, l'infériorité réelle des parents qui s'opposaient à lui par leur autorité et non par leur valeur ou leur mérite.

Le jour où un enfant juge ses parents inférieurs, l'autorité familiale est compromise, sinon ruinée, et la contradiction devient systématique.

Le timide suggestible. Très indécis, il a besoin de direction, d'approbation. Très malléable, il change de manière de voir et d'agir selon les sentiments que l'on excite en lui par la parole ou par l'exemple.

La suggestibilité du sujet peut venir d'une défiance exagérée de lui-même, d'un excès de sensibilité ou d'une faiblesse physique native. Il est incapable de grandes choses, en bien comme en mal; il marche droit, à la condition qu'on le tienne en laisse.

Le timide enfant. Très impressionnable, il déteste le risque, recherche la sécurité, craint la fatigue. Il aime les besognes routinières, la vie stéréotypée, les heures régulières d'occupation ou de travail. La plupart sont des enfants uniques auxquels les parents ont fait la vie douce, ce qui les laisse désarmés plus tard, devant la vie réelle.

Le sujet n'est pas foncièrement égoïste, il s'attache aux gens par besoin instinctif de direction. Il peut se rééduquer pour mieux s'adapter à la vie.

Le mythomane. Ce type se rencontre spécialement chez les natures primitives à l'esprit simple et aux tendances malignes, dont la vie intérieure n'est ni profonde ni complexe.

Il y a tendance volontaire au mensonge, à la création de fables: l'imagination épouse les services de sa vanité, de sa duplicité ou de ses mauvais desseins. Cette attitude représente, parfois, le transfert d'un conflit affectif qui torture le sujet et qu'il n'ose étaler au grand jour: humilié, il se trouve une compensation dans l'admiration complaisante de lui-même et dans celle que ses mensonges peuvent lui valoir de la part des autres.

En général, le mythomane essaie de ne pas assumer ses responsabilités, ou de les éluder. Peu raisonnable, il en vient à confondre le réel et l'imaginaire. Il n'a aucun plan de travail organisé et tend à se faire servir dans le domaine matériel.

Le dilettante pervers. Spécialiste de la vie intérieure romancée, à la fois voulue et involontaire, ce mythomane discret est conscient des écarts sociaux que son attitude artificielle comporte. Le sujet, dont l'esprit est assez pratique, cherche à trouver dans la réalité, un support positif aux imaginations qu'il entretient à l'aide des choses qui éveillent en lui une résonnance.

Peu ou point accessible à l'influence étrangère, affective ou intellectuelle, le dilettante est plutôt égoïste, défiant. Sa conduite peut être motivée par un choc émotionnel ancien, certaines perversions n'existant pas à l'état latent dans les tendances héréditaires. Il y a parfois timidité par complexe sexuel de supériorité. Le sujet renonce à la satisfaction normale de l'instinct parce que l'objet de ses désirs lui paraît trop grossier, pas assez raffiné pour son goût délicat.

Le timide anxieux. Caractère très sensible, vif et anxieux par excès de sécrétion de la glande thyroïde, qui accélère la vitesse des processus mentaux. Les chocs émotifs répétés, les accidents psychiques ou les conflits affectifs graves engendrent souvent l'hyperthyroïdie, avec timidité anxieuse.

Le sujet essaie de combattre l'anxiété en s'obligeant à entreprendre des activités contraires à ses aspirations naturelles: désir de dépendance et de sécurité, sentiment exagéré de responsabilité, obéissance rigide aux principes, à la doctrine, tendance à réfréner l'expression extérieure des émotions.

La lutte pour dominer le sentiment d'anxiété et d'insécurité, afin d'atteindre à une totale indépendance, oblige le sujet à afficher une confiance en soi qu'il n'éprouve pas au fond; d'où des réactions psychiques contradictoires, avec ascétisme par moments et licence à d'autres.

Le sujet est à la fois obstiné et suggestible, partagé entre des inclinations contraires. Il en résulte un excès de tension, source de déséquilibre lorsque les circonstances de la vie rendent difficile ou vaine la lutte pour l'indépendance.

Les éléments de l'analyse personnelle

Nos inclinations et prédispositions personnelles dépendent de la façon dont nous considérons les choses, dont nous les ressentons, et de l'équipement psychologique que nous avons pour agir.

Beaucoup de personnes s'accrochent à des inclinations qui ne leur procurent que de la mauvaise humeur, du mécontentement, des complexes, des obsessions, etc. Elles s'obstinent dans des attitudes négatives parce qu'elles manquent de renseignements à leur sujet et qu'elles refusent même d'observer la façon dont elles réagissent en présence des gens et des choses.

Si vous ne connaissez pas la vérité en ce qui vous concerne, ou si vous ne voulez pas l'admettre, vous serez esclave des prédispositions qui vous rendent nerveux et timide.

Pour vous délivrer de cette contrainte, vous devez voir clair en vous-même: découvrir vos inclinations secrètes et vous accepter tel quel, afin de tirer de votre personnalité le rendement maximum. Les éléments de l'analyse doivent vous faire connaître ce que vous êtes au fond, ce que vous voulez selon ce que vous êtes; ce que vous ne voulez pas, et pourquoi vous dissimulez vos sentiments.

L'analyse approfondie de votre caractère vous obligera à regarder les faits en face: à reconnaître votre type de tempérament d'abord, puis, les différents types de personnes que vous voulez rencontrer, les réussites et les insuccès habituels de ces personnes, ce qui est bon pour elles et pour vous, ce qui entraîne des heurts, des obstacles et des échecs.

Pour faire votre analyse, vous pouvez utiliser un questionnaire du genre ci-après, et vous référer à la signification psychologique des réponses, après les avoir rédigées par écrit.

QUESTIONNAIRE

1. Ce que vous aimez le mieux.
2. Ce que vous détestez le plus.
3. Ce que vous apprenez avec le plus de plaisir.
4. Ce qui vous plaît le plus: une vie nomade ou sédentaire.
5. Quels sont vos points forts?
6. Quels sont vos points faibles?
7. Quel genre de personnes préférez-vous?
8. Auprès de quelle catégorie de gens avez-vous le plus d'influence?
9. Auprès de quel genre de personnes avez-vous le moins de succès?
10. Quelle est votre plus forte ambition?

etc.

La psycho-analyse vous met en face de l'exacte vérité: elle vous procure la compréhension de vous-même et des autres. Elle vous éclaire sur l'origine de vos pensées et de vos actes, lève vos doutes, vos incertitudes et vous rend capable de concentrer votre esprit sur les prédispositions qui vous troublent.

Ces prédispositions constituent la partie la plus importante de la personnalité. Il faut les connaître pour pouvoir les modifier en les transposant, de manière à guérir la nervosité et la timidité en prenant le contre-pied de la situation qui a causé le trouble, après avoir évalué correctement celle-ci.

La connaissance du subconscient par l'écriture

L'écriture ou geste graphique est une projection de l'inconscient plus ou moins contrôlée par le moi conscient.

En inscrivant les gestes automatiques, les gestes impulsifs non surveillés, le graphisme permet d'évaluer l'étendue, l'énergie, le sens, la forme et le rythme de ces gestes. Il fournit donc un moyen d'analyse du subconscient.

Envisagée comme une synthèse de gestes conscients et inconscients, l'écriture permet, à chacun, par l'analyse personnelle de son graphisme, de recueillir des renseignements qui lui permettent de mieux connaître ses prédispositions héritées ou acquises, et de discerner la cause profonde des troubles de caractère qui peuvent en résulter.

Appliquée à l'étude du subconscient, la graphologie constitue une méthode d'exploration en vue du traitement de la nervosité et de la timidité par des moyens psychiques.

Le timide nerveux et instable trace des lettres et des lignes irrégulières et mal coordonnées. Il y a, dans les mots, des lettres plus petites que les autres, incomplètes ou mal formées; il en manque même lorsque l'attention est débile pour une cause quelconque: fatigue, surmenage, le sujet étant à la fois inerte et agité. D'une manière générale, le graphisme du timide émotif manque de continuité; son écriture est variable, tremblée et disparate.

L'examen de l'écriture révèle également le niveau de l'ensemble des énergies psycho-sexuelles du sujet, sa vitalité foncière, et la façon dont il emploie cette énergie.

L'énergie vitale peut être faible ou forte, bloquée ou débloquée, régressive ou progressive. Ces divers états apparaissent dans les caractéristiques du graphisme, avec la particularité que l'énergie régressive marque un attachement excessif aux souvenirs d'enfance, le recul instinctif devant la plus petite difficulté et la perte de la joie de vivre.

Vitalité faible. Écriture légère, inégale, instable, molle ou filiforme, parfois monotone et très petite, lignes ondulées et jambages inconsistants; graphisme tremblé, flou, fragmenté, relâché.

Vitalité forte. Écriture ferme, appuyée, épaisse, nette, précise, parfois anguleuse et pâteuse, tracé stable et uniforme, jambages bien développés et réguliers; graphisme rythmé, dynamique.

Vitalité bloquée. Blocage par complexe, refoulement, régression vers l'enfance. Écriture lente, tordue, souvent très pâteuse, très serrée et très penchée à gauche. Indice de manque d'élan, sécheresse, ennui, indigence morale.

Vitalité débloquée. Écriture rapide, précipitée, lancée, dilatée, montante, en relief. L'énergie non contenue donne à l'écriture de l'impulsion, du mouvement et souvent du désordre, de la fantaisie. La signature, placée à droite, est marquée du signe de la vigueur.

Vitalité régressive. Dans les cas de névrose avec forte régression de l'énergie psycho-sexuelle, l'écriture est lente et renversée, parfois extrêmement petite et serrée, monotone, les barres des **t** absentes ou placées très bas, les jambages maigres. La signature à gauche manque de vigueur.

CHAPITRE XIII

Le traitement physique de la timidité

Nous avons établi que pour vaincre la timidité, comme les troubles nerveux en général, il faut remonter aux causes génératrices et réagir contre elles.

Les deux principales raisons pour lesquelles les individus deviennent timides et nerveux, en dehors des causes psychiques plus ou moins évitables, s'identifient à un manque de soins corporels et à un gaspillage d'énergie psychique. Ils ne soignent pas intelligemment leur corps, en même temps qu'ils gaspillent leur énergie dans des émotions sans contrôle.

Toute émotivité exagérée, comme celle manifestée par le timide, s'accompagne d'une déficience du cœur, du système nerveux ou de quelque autre organe. En général, le timide est un déprimé nerveux latent, en passe de devenir un déprimé chronique qui devra se résigner à perdre la plus grande partie de ce qui fait le charme et la valeur de l'existence.

Pour faire disparaître l'affaissement nerveux, l'état léger de psycho-névrose, il faut se faire un corps sain et robuste, un esprit fort et avoir conscience de sa vigueur psychosexuelle: la timidité diminue à mesure que les forces augmentent et que l'équilibre nerveux se rétablit.

Les personnes les plus robustes sont les moins nerveuses: un système nerveux bien nourri par un sang riche n'est pas appelé à souffrir sérieusement des chocs émotifs, des conflits psychiques et de l'excitabilité maladive qui en résulte chez un sujet dont l'organisme a besoin d'être fortifié.

Toute personne que son tempérament ou son éducation prédispose à la nervosité et aux accès de timidité doit bien se nourrir, dormir suffisamment, prendre assez d'exercice en plein air — sous une forme récréative autant que possible — mener une vie régulière d'activités saines et d'intérêts variés. Telles sont les règles essentielles de l'hygiène physique du timide.

Le traitement d'ensemble de la timidité comporte une hygiène physique et morale, complétée par une culture physique et mentale. On agit d'abord sur le *corps,* pour lui donner la vigueur qui le rendra fort et libre; ensuite, sur le *psychisme,* pour faire la rééducation émotionnelle du sujet, normaliser ses réactions affectives et lui donner la hardiesse, le courage d'agir.

Le traitement physique a pour objet de rétablir l'équilibre vital et nerveux, d'abord par une cure de repos et d'isolement qui recharge les batteries nerveuses, et ensuite, par une médication fortifiante à base de tonique, un régime alimentaire choisi, un régime d'exercices musculaires et respiratoires appropriés.

Le repos physique et l'isolement mental

Pour garder votre équilibre psycho-nerveux, vous devez ménager vos réserves d'énergie vitale, ne pas les gaspiller sans effet inutile et faire face aux dépenses normales pour maintenir en bon état le mécanisme de renouvellement de force nerveuse.

Si vous violez la loi d'harmonie en pensées, en paroles et en actions, vous courez vers le déséquilibre nerveux, puis vers la maladie psychique et ensuite organique.

En vous agitant sans motif, vous vous épuisez et vous énervez l'entourage. Vous ne devez faire qu'une chose à la fois et, autant que possible, avec réflexes bien établis, c'est-à-dire agir en principe avec le minimum d'attention volontaire et le minimum de fatigue, pour économiser l'énergie nerveuse. Après chaque série d'actes ordonnés, vous devez savoir vous reposer et vous détendre pour réagir contre le danger d'épuisement ou contre l'épuisement nerveux déjà ressenti.

La dépression nerveuse se traite par le repos physique et l'isolement mental. Cet isolement éteint vos sensations en vous écartant du monde extérieur, en supprimant vos idées propres pour ne laisser dominer — dans l'état de détente psychique — que la conviction profonde et durable de guérir d'une infériorité passagère.

La première des choses, c'est de ne pas rester contracté ni au physique ni au moral. L'isolement dans un cercle étroit de parents ou d'amis favorise la détente psychique en réduisant la rumination des mêmes idées et l'exaltation imaginative au sujet de ces mêmes idées.

Dans votre milieu habituel, vous devez arriver à produire, lorsque vous le désirez, soit un état d'isolement et de détente, soit un état de tension. Si une partie de votre entourage ne se prête pas à la réalisation de l'état de calme physique et mental, vous devez vous y soustraire en vous éloignant des agités, des déprimés, des pessimistes, des irrités, des geignards et en recherchant le contact des gens calmes, pondérés, judicieux.

On ne saurait croire combien la compagnie d'un tiers peut modifier la tension psychologique: certaines personnes vous enthousiasment et vous exaltent, d'autres vous dépriment par leur comportement physique et mental. Vous ne devez rien négliger pour les éviter, de même que vous devez éviter les lectures ou les spectacles déprimants.

Pour vous reposer, ne croyez pas qu'il suffit de vous étendre, de relâcher vos muscles et de rêver à n'importe quoi sans penser à rien: vos idées se succéderont en désordre, votre imagination travaillera et vous consommerez de l'énergie vitale au lieu d'en gagner. Détendez vos muscles et votre esprit, mais évitez de rêver tout éveillé. Demeurez conscient et attentif dans une certaine mesure, pour ne pas effacer l'intérêt de l'action interrompue et pouvoir la reprendre ensuite sans difficulté.

Le sommeil reposant

La cause de l'insomnie du timide nerveux est l'anxiété, le souci qui met l'énergie vitale sous tension.

Ne vous mettez pas au lit dans cet état. Préparez-vous au sommeil en vous reposant après avoir mangé, car le travail de la digestion incline au sommeil si l'on absorbe, au repas du soir, en quantité modérée, des aliments facilement assimilables.

Pour trouver le sommeil, ne vous habituez pas aux calmants nerveux, sauf en cas d'urgence, ou de temps à autre, pour prévenir l'insomnie chronique. Si vous usez de médicaments hypnotiques, il faut en changer le plus souvent possible, pour éviter l'accoutumance.

Il est utile de savoir que le véronal et le gardénal, par exemple, agissent sur le centre mésencéphalique du sommeil; tandis que le chloral et le bromure de potassium agissent sur l'écorce cérébrale. Les premiers font trouver le sommeil, les seconds conviennent en cas de sommeil agité, coupé de rêves multiples ou de cauchemars qui fatiguent. Les narcotiques à base d'opium ont une action double, mais ils peuvent conduire plus facilement à la toxicomanie.

En cas d'insomnie grave par hyperexcitabilité nerveuse, on peut recourir à un traitement intermittent — coupé de jours sans drogue — avec repos, exercices modérés au grand air, bains tièdes le soir.

En vous couchant, entretenez l'idée de calme et l'idée que vous avez besoin de sommeil, que vous allez vous endormir pour récupérer de l'énergie vitale et que vous serez plein d'allant le lendemain matin. Levez-vous à heure fixe, autant que possible, et peu de temps après le réveil.

Dans une journée, après une période de travail intensif, reposez-vous pendant un quart d'heure pour briser la tension nerveuse avant qu'elle ne vous gagne. Ne permettez pas à la tension nerveuse de s'accumuler par la fatigue: n'oubliez pas qu'une journée ou une soirée de tension psycho-physique engendre, à peu près sûrement, une nuit sans sommeil.

La médication fortifiante

Elle a pour but de remonter le tonus vital du sujet en combattant l'affaiblissement général, la dénutrition, l'hyperémotivité, l'insomnie, le déséquilibre nerveux.

Il s'agit d'améliorer avant tout les réactions nerveuses de défense, analogues à des mouvements réflexes qui dépendent, directement ou indirectement, du grand sympathique.

Le glycérophosphate de chaux, l'extrait alcoolique de quinquina, la teinture de noix vomique entretiennent et soutiennent l'énergie du système nerveux. Ces fortifiants doux calment l'excitation nerveuse, stimulent les forces naturelles de défense de l'organisme et facilitent la digestion; le traitement correspondant donne la vigueur physique et le calme qui l'accompagne.

Après une cure de repos et d'isolement de huit jours dans la solitude relative et sans grand mouvement, pendant laquelle on fera de longues stations allongées pour soulager le cœur et les nerfs dans une activité réduite, l'adrénaline peut être absorbée comme reconstituant général en cas de faiblesse nerveuse.

1. Adrénaline, à raison de vingt gouttes par jour de chlorhydrate d'adrénaline à un millième, ou deux comprimés pharmaceutiques équivalents, en deux fois, avant chacun des principaux repas, dans un peu d'eau, pendant huit jours.
2. Un jour de repos sans médicaments, avec, si possible, une promenade au grand air en montagne, à l'abri du vent violent et froid.
3. Adrénaline, à raison de vingt gouttes par jour de chlorhydrate d'adrénaline à un millième, ou deux comprimés pharmaceutiques équivalents, en deux fois, avant chacun des principaux repas, dans un peu d'eau, pendant huit jours.
4. Un jour de repos sans médicaments, avec exercice modéré et respiration profonde au grand air, comme ci-dessus.

Ensuite, il faut agir sur le système nerveux par des produits de soutien de la cellule nerveuse, par exemple, les granulés de glycérophosphate de chaux.

1. Glycérophosphate, à raison de deux cuillerées à café dans un demi-verre d'eau, quinze ou vingt minutes avant les repas, pendant huit jours.
2. Repos pendant huit jours, sans médicaments.
3. Reprendre le glycérophosphate comme ci-dessus, et alterner avec huit jours de repos.

Cette cure peut être prolongée sans inconvénients pendant plusieurs mois, en même temps que l'on suit un régime alimentaire approprié et que l'on effectue des exercices physiques et respiratoires pour régulariser les battements du cœur liés au rythme de la respiration.

Dans les mêmes conditions, on peut absorber, si l'on préfère, un petit verre d'extrait de quinquina, cinq à dix minutes avant les deux repas principaux; puis, une cuillerée à café de glycérophosphate, cinq minutes après le repas.

Les médicaments à base de sels de chaux et de magnésium: phosphate bicalcique, chlorure de magnésium, sont d'excellents toniques parce qu'ils constituent des aliments d'épargne et de soutien pour la cellule nerveuse.

L'hyperémotivité se traite par les extraits de valériane et d'aubépine: vériane, cratégus, qui sont des calmants et des régulateurs des centres nerveux du cœur. Le cratégus se prend, de préférence, une heure avant le repas du matin; et la vériane après le repas du soir, une heure environ avant le coucher, ce qui favorise le sommeil.

Les toniques naturels à base de plantes rétablissent l'équilibre vital et nerveux. N'abusez pas de la médication chimique: elle procure une amélioration certaine, mais ses effets peuvent être nuisibles si la cure est mal conduite ou les doses trop fortes. Il faut aller lentement pour que le trouble ne reparaisse pas sous une autre forme.

Le régime alimentaire contre l'excitation nerveuse

Le timide hyperémotif a besoin d'aliments nourrissants, mais de digestion facile et donnant un minimum de résidus, pour éviter l'irritation des organes digestifs.

Les aliments ne doivent être ni acides, ni lourds, ni trop épicés, ni trop chauds, ni trop froids; ne pas contenir trop de sucre et ne pas être absorbés trop rapidement.

Il faut proscrire les excitants: vin pur, café, alcool, condiments, etc.; ne pas absorber de nourriture inutile, bien mâcher, faire des repas légers et répétés et éviter la constipation.

Régime recommandé. Produits lactés, fromages frais, salades, légumes verts frais, fruits peu sucrés, protéines végétales, riz, pâtes, féculents simples, pas de graisse, pas de pâtisseries lourdes, peu de viande.

Vous pouvez manger de la viande grillée ou de la viande rôtie saignante en prenant soin de vous reposer une demi-heure au moins avant et après le repas avec viande; sinon, la tension nerveuse privera d'énergie vos organes digestifs et vous aurez l'estomac lourd parce que votre digestion sera difficile.

Le riz est recommandé aux hyperémotifs parce qu'il contient beaucoup d'hydrates de carbone très digestibles, pas de graisse, peu de protéines et qu'il apporte au système nerveux une aide énergétique immédiate.

Il s'agit, en somme, de s'alimenter d'une façon substantielle et légère, de manger des mets appétissants dans le calme, en chassant toute préoccupation et en évitant toute discussion pendant le repas, afin de bien assimiler et de bien digérer.

Le sujet nerveux doit manger le plus lentement possible. Diminuez donc la quantité des aliments quand le temps que vous pouvez consacrer à votre repas est limité: un repas copieux pris en hâte engendre des spasmes de l'estomac et de l'intestin.

En cas d'auto-intoxication alimentaire par suite d'un mauvais régime ou d'un foie déficient, prenez, après chaque repas du soir, une cuillerée de miel mélangé d'un peu de fleur de soufre.

Contre la constipation, buvez de temps à autre, au cours de la journée, un demi-verre d'eau pure. Si votre intestin est paresseux, prenez tous les deux ou trois jours, le matin à jeun, une petite cuillerée à café de sulfate de soude.

La respiration consciente

L'individu timide et nerveux respire insuffisamment, d'une façon syncopée, irrégulière. Il doit dès lors se rééduquer, car sa respiration artificielle se répercute dans son psychisme sous la forme d'une gêne oppressive qui provoque un état anxieux.

La respiration ample et régulière, accompagnée de mouvements des muscles, facilite l'oxygénation et la circulation du sang. À son tour, le cerveau bien irrigué facilite la détente physique et mentale, donc le maintien de l'équilibre des centres nerveux.

Régulariser et amplifier le souffle, c'est tonifier l'organisme, calmer le cœur; c'est aussi combattre l'auto-intoxication par insuffisance respiratoire, c'est-à-dire par surcharge des combinaisons que l'acide carbonique non exhalé forme avec les autres produits de déchet de l'organisme, produits qui surexcitent le système nerveux.

La sensation de plénitude, la force calme, l'audace d'agir proviennent en grande partie des respirations profondes que vous effectuez inconsciemment à l'état de détente.

Remarquez que si vous êtes momentanément déprimé et que vous relâchez votre tension nerveuse en aspirant une large bouffée d'air frais, la conscience de vous-même devient nette en même temps que vous recouvrez l'espoir, le goût de la vie.

Si vous vous sentez découragé, abattu, ne restez pas dans cet état; ne demeurez pas affaissé. Redressez-vous de toute votre hauteur, aspirez profondément en portant les mains sur les côtés de la poitrine pour bien élargir le thorax. Retenez le souffle pendant quelques secondes; chassez l'air de vos poumons en même temps que vos mains glissent de chaque côté de la poitrine. Exhalez l'air à fond en serrant vos mains l'une contre l'autre. Faites ceci plusieurs fois de suite, debout ou tout en marchant.

Un autre exercice simple consiste à régler la respiration sur un rythme automatique, en l'associant à la cadence de la marche. L'effort que l'on fait pour actionner le muscle diaphragme au maximum de sa course et à la même cadence, tous les trois ou quatre pas, régularise l'énergie nerveuse du plexus solaire; d'où une revitalisation de l'organisme, accompagnée d'une meilleure maîtrise de soi, due à la concentration mentale sur la respiration rythmée.

Si vous êtes inoccupé, assoyez-vous en gardant une attitude ferme, l'épine dorsale droite, le reste du corps détendu, les avant-bras reposant sur vos jambes, les mains ouvertes.

En état de relaxation, ne pensez à rien d'autre qu'à suivre le va-et-vient de l'air dans votre poitrine à mesure que vous respirez régulièrement et aussi à fond que possible; vous serez d'autant plus réconforté que vous aurez plus longtemps respiré ainsi dans l'état de relaxation.

Si vous éprouvez des malaises qui vous laissent croire à un affaiblissement sérieux de vos forces nerveuses, soyez certain que l'équilibre et la joie de vivre peuvent vous être rendus par un entraînement qui vous permettra de recouvrer vos forces, de vivre mieux et d'atteindre vos buts en disposant de toutes vos réserves d'énergie.

La détente musculaire et la respiration rythmée

La tension nerveuse qui résulte des conflits internes dont souffre le timide, se traduit par des contractions musculaires qui correspondent aux effets de ces conflits sur le plan physique.

Vous pouvez réduire votre tension psycho-nerveuse par une détente complète des muscles du corps. Lorsque vos muscles se relâchent à votre commandement, les conflits cessent de vous obséder et de vous dominer; de plus, vos nerfs et votre cerveau s'assouplissent et se calment.

1. Prenez une position demi-allongée, confortable et qui répartit le poids du corps en surélevant les pieds et les jambes. Allongez vos bras, les mains ouvertes vers le haut, le long du corps ou le long des supports de votre siège.
2. Donnez mentalement des ordres de détente à tous vos muscles, par groupes puis isolément, de bas en haut, afin de relâcher successivement et à fond tous les organes, en même temps que vous exhalez tout l'air de vos poumons en plusieurs fois.
3. Aspirez l'air de façon lente et naturelle, puis expirez en exhalant le maximum d'air, en vidant vos poumons à fond, chaque fois davantage.
4. Quand vous aspirez, dites mentalement à vos jambes de se détendre; quand vous exhalez l'air à fond, redites-le encore. Faites ceci pendant quatre ou cinq cycles complets de respiration.
5. Faites de même pour vos bras, vos épaules, votre cou, votre mâchoire, votre langue, les muscles de votre visage, de vos yeux, etc. Quand vous aurez réduit la tension de vos muscles, les différents organes de votre corps et votre système nerveux lui-même participeront à la détente générale.

En pratiquant cet exercice deux fois par jour, quinze à vingt minutes chaque fois, vous substituerez à vos mauvaises habitudes de tension nerveuse inutile des habitudes de détente qui vous donneront une sensation d'énergie et de mieux-être.

La respiration agit sur le cœur pour en régulariser les battements; d'où l'intérêt, pour les timides, des exercices de respiration rythmée, le corps allongé ou en demi-flexion dans une chaise longue, le corps entièrement détendu et l'esprit libre de tout souci.

1. Mettez-vous en état de détente musculaire comme dans l'exercice précédent, puis aspirez l'air par le nez, bouche fermée, lentement et profondément, sans trop emplir les poumons, en comptant mentalement: un, deux, trois, quatre, à la cadence de la seconde.
2. Maintenez dans vos poumons l'air inspiré, en comptant jusqu'à quatre comme ci-dessus.
3. Exhalez l'air à fond en comptant de un à quatre.

Faites cet exercice chaque jour, le matin de préférence, à l'air libre, pendant huit jours. Commencez par un exercice d'une durée de cinq minutes les deux premiers jours, de dix minutes les deux jours suivants, et ainsi de suite jusqu'à vingt minutes pendant les deux derniers jours. Votre respiration sera plus régulière et plus ample, votre cœur se régularisera, votre esprit deviendra plus calme et plus clair.

Quand vous aurez pris l'habitude de faire cet exercice, en tenant les yeux ouverts ou les yeux fermés, répétez-le au moins une fois par semaine pour en recueillir et consolider le bénéfice. L'effort que l'on s'impose pour effectuer correctement un exercice physique augmente, en effet, la maîtrise de soi et la confiance en ses moyens qui font défaut au timide.

Les exercices physiques

L'exercice physique active la respiration, la circulation, la digestion, l'élimination. En facilitant le jeu de tous les organes, il facilite aussi l'activité mentale.

En brûlant les poisons du corps, la respiration ample que procure le travail des muscles, fait disparaître l'irritation due à l'excès des toxines alimentaires et autres, ce qui favorise le maintien ou le rétablissement de l'équilibre psychonerveux.

L'activité respiratoire modérant la timidité, vous devez combiner les exercices quotidiens de culture physique avec la respiration consciente et rythmée. Des mouvements respiratoires coordonnés avec les contractions musculaires mobilisent les forces nerveuses, réveillent la vitalité, stimulent les facultés mentales et renforcent la volonté par la soumission à une discipline.

Les mouvements ne doivent pas fatiguer le système nerveux déjà affaibli du timide. Ils doivent être réglés de manière à éviter l'excès de stimulation et à rétablir lentement la vigueur corporelle. Ils apportent alors une amélioration vitale et morale en même temps qu'une force physique accrue, l'harmonie des gestes, la souplesse et la beauté des attitudes.

Vos nerfs ont besoin d'équilibre et votre individu physique doit travailler. Ne vous imposez pas des exercices trop intenses qui fatigueraient non seulement votre corps, mais aussi votre cerveau: tout se tient, les muscles, le moral et le mental.

Au début, faites des mouvements simples, non rythmés, qui impliquent peu ou pas de fatigue. Par exemple, étant couché, tournez-vous et retournez-vous en étirant vos muscles sans sureffort. En étirant vos bras et vos jambes pour vous mettre en train, vous réveillez vos centres moteurs. Il en est de même dans une marche lente, une promenade où le corps se donne libre jeu en même temps que l'on s'intéresse joyeusement à ce qu'il y a de beau et de bon aux alentours.

À côté des mouvements libres, les mouvements passifs imposés par un code d'entraînement physique ravivent les images motrices qui renforcent la tendance à l'activité, toujours faible chez le timide. Ils stimulent l'activité mentale en lui fournissant un support.

Les exercices doivent être assez diversifiés pour donner à chaque muscle l'occasion de travailler et pour faire jouer chaque articulation.

La cadence des mouvements doit être plutôt lente, afin qu'une détente musculaire complète ait le temps de se produire entre deux contractions successives.

Pratiquez les exercices devant une glace pour assurer la correction des mouvements et offrir un support matériel à l'attention qui doit accompagner chaque contraction musculaire.

Le mouvement ne doit pas être accompli d'une façon machinale: vous devez suivre du regard le mouvement exécuté, tout en répétant à haute voix une phrase qui énonce ce mouvement. Ce faisant, votre attention est fixée par l'intermédiaire de la vue, de l'ouïe et du sens musculaire combinés; elle se concentre et se rééduque du même coup.

Vous devez réaliser une détente entre chacun des mouvements volontaires, sans oublier que la détente dans les mouvements respiratoires combat efficacement les spasmes psychiques.

En pratiquant des exercices respiratoires de façon à obtenir un rythme régulier de respiration, vous combattez les états de dépression nerveuse, de faiblesse mentale et de débilité de l'attention volontaire.

Le naturisme sportif, les sports toniques et de maîtrise pratiqués au dehors avec de bons camarades de jeu, sont excellents pour remettre le corps et les nerfs en état. À défaut, les exercices de chambre peuvent suffire. On choisira des exercices rythmiques faciles qui n'exigent pas trop de dépense nerveuse pour suivre la cadence et ne demandent pas trop de concentration mentale pour leur exécution.

La rééducation physique de la parole

De nombreux timides bafouillent aux moments d'émotion: leur parole est embrouillée, embarrassée; ils ne parviennent pas à exprimer distinctement ce qu'ils ont à dire. En général, les mots viennent à l'esprit du timide, mais la contraction nerveuse émotive gêne la respiration du sujet, provoquant ainsi des spasmes qui troublent l'articulation ou la déforment.

Des exercices de récitation articulés et de lecture à haute voix permettent de vaincre cette manifestation particulière de la timidité nerveuse.

1. Apprenez par cœur vingt lignes d'un texte quelconque en prose.

2. Le morceau appris, placez-vous devant une glace et récitez le texte sans hésitation, sans gestes, d'une voix naturelle, monocorde, en vous regardant bien en face.
3. Recommencez l'exercice avec un débit de parole plus lent, du même ton monocorde, en articulant bien et en marquant les arrêts et les pauses indiqués par la ponctuation.
4. Répétez une troisième fois l'exercice, plus lentement encore, de manière à doubler le temps mis la première fois, en vous attachant à régler la respiration d'après le rythme des phrases, à séparer les mots entre eux et à maintenir votre attention fixée sur le sens du texte.

Recommencez l'exercice avec différents textes, jusqu'à complète maîtrise. Vous pourrez faire ensuite de la lecture à haute voix — lente et pensée — sur un ton monocorde, sans vous préoccuper des inflexions, mais en détachant les syllabes et en marquant les arrêts comme ci-dessus.

1. Articulez chaque mot en le suivant des yeux tout en le prononçant des lèvres, sans laisser vos idées se diffuser sous l'action de l'imagination que vous devez tenir en bride pour garder l'attention fixée sur le sens du texte lu.
2. Répétez l'exercice en privé d'abord, puis en public si possible, parmi les personnes de votre entourage.
3. Terminez la séance de lecture à voix haute, par un exercice de respiration rythmée.

Pendant la même semaine, faites trois jours de récitation, puis trois jours de lecture. Reprenez de temps à autre des exercices, de manière à en faire une habitude qui vous mettra bientôt en possession de tous vos moyens.

La correction psycho-physique du bégaiement

Il faut apprendre au bègue, comme au bredouilleur, à se défendre au physique et au moral, à modifier le flux de ses pensées et à le diriger, ceci afin de pouvoir laisser entrer l'air normalement dans les poumons.

Le traitement est mental en même temps que physique, car le bègue pèche mentalement par excès ou par défaut de vitesse: sa pensée ne suit pas exactement le mécanisme de l'articulation des mots. Elle peut être en avance, mais elle est le plus souvent en retard. Dans un cas comme dans l'autre, l'ensemble du mécanisme est faussé.

Le bègue dépense trop d'énergie sur les consonnes et pas assez sur les voyelles. Il dirige mal son énergie, comme tous les mal adaptés. Pour guérir, il doit apprendre à se détendre et à accorder davantage d'énergie aux voyelles.

Le traitement physique comporte, en premier lieu, des exercices respiratoires, puis l'émission de sons séparés et commençant par les voyelles: A, E, I, O, U, dont la prononciation est aisée puisqu'elles n'exigent pas, à la différence des consonnes, l'application de la langue contre le palais, les dents ou les lèvres.

On fait ensuite des exercices de liaison des sons: A, E, I, O, U, que l'on répète plusieurs fois dans l'ordre ordinaire d'abord, puis dans l'ordre inverse.

Les exercices de syllabes viennent ensuite, avec une marche analogue aux exercices de voyelles.

Finalement, on assemble les syllabes en mots très brefs pour commencer, et très espacés, avant de passer à des mots plus longs associés en phrases courtes.

Après deux semaines de ces exercices préliminaires, le sujet s'efforce de ne prononcer, entre les séances de rééducation, que le minimum de mots, émis assez lentement pour éviter de bégayer.

Au début de la troisième semaine, le bègue dont le défaut est d'ordre physique doit commencer à articuler correctement, surtout s'il parle avec lenteur en observant la tactique apprise au sujet de l'émission du son, de l'expression et des mouvements de la langue et des lèvres.

Si la crispation qui annonce le bégaiement apparaît encore, le sujet doit s'arrêter net, garder le silence pendant quelques instants, puis reprendre le mot difficile et le répéter plusieurs fois, très lentement.

Par la suite, le malade s'exercera à dire des phrases assez longues, en prenant soin de s'arrêter dès qu'il sent venir l'hésitation. La cure devant être très progressive, il faut parler toujours avec lenteur et ne dire en public que des phrases courtes déjà énoncées intérieurement et construites par avance dans la pensée.

Il y a intérêt à ne parler que de choses que l'on connaît bien, à ne pas se risquer tout de suite à improviser, à éviter toute vive controverse qui risquerait de provoquer à nouveau le bégaiement et de saper la confiance du sujet dans sa guérison définitive.

L'aide morale doit s'ajouter aux moyens physiques de rééducation, car les conseils et les marques de sympathie trop souvent répétés ne font qu'aggraver les choses. Il faut aider le bègue à oublier ses difficultés de parole. Cela n'est possible que si l'on évite tout ce qui peut susciter chez lui de nouvelles craintes qui l'intimident davantage.

Si l'on recommande sans cesse au bègue de faire attention, de respirer profondément, de parler lentement, on aboutit à l'obliger à se concentrer sur son défaut, à ne penser qu'à mieux respirer, et le mal empire parce qu'on avive ainsi les appréhensions du sujet, ses inquiétudes, sa nervosité.

Quand la conscience de soi est suffisamment développée, vers la treizième année d'âge, le bégaiement est plus facile à éliminer. Il n'en est pas ainsi avant cet âge. Le défaut disparaît de lui-même dans de nombreux cas, surtout quand on prend soin de ne pas le stimuler moralement.

Les moyens intellectuels d'amélioration consistent dans l'habitude de s'obliger à penser avant de parler, puisque c'est la lenteur de réflexion, la paresse mentale, ou la vitesse excessive du flux des idées, qui empêche la pensée de se fixer sur un mot décisif.

La parole du bègue est incertaine parce qu'elle traduit les incertitudes et les hésitations de sa pensée; d'où le besoin, pour lui, de s'exercer à penser fortement avant de parler, c'est-à-dire de s'appliquer à construire des phrases qui résument nettement sa pensée.

Si vous avez une tendance à bégayer, prononcez de telles phrases tout haut, dans la solitude. Arrêtez-vous dès que le bégaiement commence. Reprenez le mot manqué pour le dire d'abord lentement, puis plus vite en l'énonçant sans hésitation. Après quoi, reprenez la phrase qui contient le mot difficile et prononcez-la lentement pour commencer; ensuite, pressez un peu le débit, mais arrêtez-vous si le bégaiement revient, et reprenez la phrase jusqu'à son énonciation correcte.

De nombreuses guérisons s'obtiennent par la cure de silence dont le mécanisme est le suivant:

1. Quand le bègue ne parle pas et qu'il n'entend pas parler d'autres personnes, son esprit commence à penser en image au lieu de penser d'après des sons entendus.
2. Une fois devenu penseur visuel, le sujet se représente aisément, par la vision interne, les choses observées ou imaginées, de sorte que sa pensée se précise et s'affermit sans qu'il s'en doute.

Dès lors, le bègue éprouve moins de difficultés à exprimer sa pensée en mots qui la traduisent exactement.

La lutte psycho-physique contre le trac

Pour calmer une personne violemment émue, au bord de la crise nerveuse, un excellent remède consiste en une friction rotatoire légère sur l'estomac d'abord, puis sur le ventre; procédé que l'on peut s'appliquer à soi-même. Ce massage du plexus solaire combat le déséquilibre psycho-nerveux en relâchant l'émotivité sur le coup.

Le même genre de massage peut être pratiqué, d'une façon moins apparente, par le jeu de la respiration rythmée qui régularise les battements du cœur, lequel s'affole avant le trac.

Quand vous sentez l'émotion grandir et que votre cœur commence à battre plus vite:

1. Aspirez une forte bouffée d'air et retenez-la quelques secondes, en bombant le ventre au niveau du creux de l'estomac, à l'emplacement du plexus solaire.
2. Exhalez l'air très lentement par le nez, la bouche bien close, tout en relâchant la tension des muscles au niveau du plexus solaire.
3. Recommencez deux fois de suite ce massage interne.

Ce procédé est applicable dans toutes les circonstances où l'on éprouve l'angoisse paralysante qui prélude au trac des artistes, conférenciers, professeurs, etc.

Pour vaincre le trac, il s'agit toujours de modérer les battements du cœur pour redonner au corps sa liberté de mouvements et à l'esprit, sa clarté habituelle, ce que procure la respiration profonde. Pour bloquer les effets de l'émotion envahissante, il n'est rien de mieux que de prendre une ample respiration, sans douleur ni gêne, puis de retenir le souffle pendant quelques secondes en effectuant des gestes lents ou en marchant d'une façon pondérée.

En vous présentant devant le public, si vous vous sentez ému plus que de raison, demeurez immobile, faites une aspiration profonde, puis déplacez-vous en exécutant le moins de mouvements possible. Effectuez l'exercice de massage respiratoire du plexus solaire pendant un moment, puis, faites une profonde aspiration et retenez le souffle à la dernière minute avant de parler.

Les moyens intellectuels sont tout aussi utiles que les procédés mécaniques dans la lutte contre le trac des orateurs et de toutes les personnes qui affrontent le public en général.

Tout en pratiquant la respiration amplifiée et rythmée, il faut à tout prix s'abstraire de l'ambiance, la tenir pour négligeable et dériver la pensée vers un sujet étranger à la situation présente. En occupant brusquement l'esprit d'une tout autre question, on ne voit plus le public sous l'angle émotif et le réflexe oratoire se déroule sans trouble apparent.

Si vous parlez en public, ne laissez pas votre imagination vagabonder: elle est l'ennemi qu'il faut tenir à l'écart. Dirigez vos yeux au-dessus des têtes, pour ne pas vous laisser impressionner; ne fixez pas telle ou telle des personnes de l'assistance; ne regardez celle-ci que lorsque vos réflexes d'artiste ou d'orateur sont bien en train. N'oubliez pas que de nombreux orateurs sont timides dans la vie courante; ils ne le sont plus quand ils sont possédés par leur sujet, quand une pensée unique absorbe leur esprit et le domine.

Dans une réunion publique et contradictoire, si vous vous sentez troublé, ne regardez pas l'interrupteur: portez le regard au-dessus des têtes de l'auditoire et retenez votre respiration un moment avant de répondre.

Si l'interpellation vous surprend et si vous sentez la rougeur vous monter au visage, respirez vivement plusieurs fois, coup sur coup; la rougeur s'atténuera presque aussitôt.

Soyez persuadé que le trac n'existe que dans votre imagination: il vous menace parce que vous le voyez venir. Si vous pouviez oublier totalement cette idée, vous n'auriez aucune crainte de vous exprimer en public.

Pour vous donner du courage, vous pouvez être tenté de mépriser mentalement votre auditoire en vous jugeant supérieur à lui. Ne commettez pas cette erreur de déprécier à vos yeux le public dont vous souhaitez l'approbation. Ne cessez pas d'avoir pour lui des sentiments positifs, de le respecter et de l'aimer.

L'affection pour le public est le seul moyen d'établir avec vos auditeurs le lien de sympathie indispensable pour attirer leur attention et leur communiquer vos états d'âme. Le public entre en résonance psychique avec vous: il éprouve ce que vous ressentez intimement.

Pour entretenir le courant de sympathie avec votre public, ne vous estimez ni inférieur ni supérieur à lui. Dites-vous que ceux qui vous écoutent sont capables de vous comprendre, comme vous êtes capable de les intéresser, de les instruire, de les faire vibrer, et soyez vous-même, tout simplement.

Méprisez le trac autant que vous le pouvez, sans jamais en rejeter la faute sur le public. Affrontez votre auditoire sans animosité ni dédain. Demeurez amical et sensible tout en maîtrisant votre émotion.

Un procédé pour vaincre l'émotion à son début consiste à adopter d'entrée, pendant quelques secondes, une attitude provocante en paroles, quoique courtoise, de manière à mobiliser vos forces par une tension psycho-nerveuse énergique. Certains dirigeants, professeurs, administrateurs, etc., dont l'abord est rude et même brutal, se montrent ainsi parce que leur naturel timide les incite à se prémunir de la sorte contre le choc émotif du premier contact.

Une activité volontairement réglée et lente, ainsi que les exercices de récitation articulée et de lecture à haute voix, décrits précédemment, sont une excellente pratique pour prévenir le trac.

Pour surmonter le trac, vous devez modérer les réactions physiques qui le traduisent sans vous abandonner à elles. Par un effort conscient, prenez et faites prendre à votre corps l'attitude contraire: celle qui traduit la confiance en soi. Avant de monter à la tribune, par exemple, respirez lentement et profondément; détendez vos muscles; tenez-vous droit et même un peu cambré; montez à la tribune rapidement et commencez tout de suite à parler pour ne pas laisser à l'émotion le temps de vous envahir.

Ne pensez qu'au sujet. Au bout de quelques phrases, la peur disparaîtra. Quand vous l'aurez surmontée une nouvelle fois, il y a des chances pour qu'elle ne se renouvelle plus. Une précaution à prendre dans les débuts, c'est de ne pas parler l'estomac vide, ce qui est de nature à augmenter les réactions physiologiques.

Pour diminuer ces réactions, prenez la parole, les premières fois, dans un milieu sympathique; puis, recherchez l'occasion de parler souvent devant un public nouveau, devant des auditeurs inconnus. En même temps, combattez le trac à sa source, dans le domaine psychique, par un entraînement mental qui rendra plus actives en vous les facultés d'estime de soi, de confiance en soi, d'empire sur soi-même, et qui vous donnera plus de pouvoir sur votre sensibilité, vos sentiments, vos émotions.

La culture mentale réalisera une modification durable dans vos états d'esprit habituels. Elle est un moyen rapide et sûr de vous débarrasser définitivement du trac par une mise en valeur qui vous donnera le sentiment de votre importance en face du public, de façon à pouvoir l'aborder.

CHAPITRE XIV

Le traitement moral de la timidité

Ce traitement assure l'équilibre du système nerveux en dévoilant les causes des conflits psychologiques intérieurs, de manière à libérer les pouvoirs subconscients, ce qui permet d'utiliser la force des instincts dans des voies socialement acceptables.

Pour supprimer la timidité, il faut connaître ses vraies causes: une éducation maladroite qui a détruit prématurément la confiance en soi, une blessure affective profonde, un conflit intérieur déprimant, un complexe psychologique qui a déformé le jugement et le caractère.

La guérison exige que l'intéressé dégage et comprenne le mécanisme de la formation du trouble afin d'en avoir une interprétation exacte qui lui donnera le moyen de corriger lui-même le déséquilibre nerveux, la tendance à l'instabilité psychologique. Pour se guérir de la peur irraisonnée, il faut remonter à sa source, laquelle peut être un incident oublié survenu au cours de l'enfance. Il suffit de s'expliquer la raison secrète de la peur pour voir celle-ci disparaître. De même, la brusque révélation intérieure d'une tendance ou d'un désir que l'on n'aimerait pas avouer peut agir comme l'électrochoc qui fait découvrir au sujet l'origine de ses sentiments réels, dissimulés jusque-là, ce qui modifie la manière dont il tend à se conduire dans une circonstance donnée.

La disposition à agir dans un sens plutôt que dans un autre dépend de la façon dont le sujet envisage les choses, de l'état d'âme qu'il maintient en lui.

Le timide qui veut réduire sa tension nerveuse et devenir capable d'affronter sans crainte les problèmes au fur et à mesure qu'ils se présentent doit apprendre à se connaître et à connaître les mécanismes qui soutiennent et inspirent sa conduite. L'analyse psychologique de notre individu est un devoir personnel parce que notre conscience est imparfaite: notre caractère, notre humeur et les raisons profondes de notre conduite nous sont naturellement inconscients.

Le réseau de nos muscles et de nos nerfs renferme les éléments d'un automatisme électromécanique qui nous fait agir d'une façon machinale dans de nombreuses circonstances.

Le drame de notre nature, c'est la double commande confiée à la fois à la conscience, à la couche supérieure du cerveau, et aux déclenchements subits des centres nerveux inférieurs sous l'effet des décharges émotives que provoquent les forces sourdes de nos instincts. Nos tendances instinctives ne peuvent être raisonnées parce qu'elles sont inconscientes; en outre, elles sont brutales et tendent à faire explosion. Pour se préserver de ce risque, il faut rendre conscientes nos tendances dominantes et les orienter vers un but noble: leur décharge, leur décompression, peut alors s'effectuer avec calme dans des voies normales.

Pour ramener à la lumière de la conscience une tendance instinctive comprimée dans le subconscient, il faut d'abord calmer et désensibiliser le sympathique; puis, découvrir la raison du blocage de la tendance, ou de sa déviation éventuelle. Il s'agit de démonter le mécanisme psycho-nerveux qui engendre la timidité et de le comprendre, afin d'éliminer le mal en changeant l'état d'esprit nuisible.

N'oubliez pas que vos tendances, vos dispositions foncières, régissent votre système nerveux autonome dont le commutateur central est le grand sympathique, relié au cerveau moyen.

Votre état de dépression, de timidité, de fuite devant la vie résulte d'un désordre physique du système nerveux autonome, trouble dont la cause la plus commune est la surtension nerveuse qui résulte du développement croissant d'un conflit interne entraînant des suppressions émotionnelles. Le trouble à supprimer peut venir soit d'une tension nerveuse intense et continue dans la vie courante, soit d'un choc affectif grave, dissimulé et tenu secret. Il est des timides, sensibles et intelligents, qui ne se détendent jamais; ils deviennent incapables d'agir autrement que sous l'empire d'une forte tension nerveuse.

De plus, toute tendance qui cherche à s'exprimer audehors entraîne une réaction des glandes et une tension des muscles. S'il y a lutte entre des tendances contraires, l'état physique est perturbé, avec répercussion sur le grand sympathique qui règle le travail de l'organisme.

Ce cycle alternatif d'actions et de réactions bouleverse les fonctions corporelles et déséquilibre les centres inférieurs du cerveau, dont le dérèglement devient habituel, notamment dans les états chroniques de nervosité et de timidité. Il existe une étroite relation entre les conflits psychologiques et les tensions corporelles de l'organisme; un conflit ou un complexe non résolu est autant physique que psychique parce que tout le corps y prend part: glandes, muscles, viscères, etc. L'esprit et le corps sont les deux aspects inséparables d'une même vie: lorsque le conflit ou le complexe traduit la répression d'une impulsion violente, il soumet les vaisseaux sanguins à une forte pression, par resserrement des artères.

Dans tout timide, on trouve généralement un impulsif. Si vous avez de l'hypertension nerveuse, avec le sentiment qu'elle vient d'un conflit ou d'un complexe, vous êtes le champ clos d'un combat épuisant où entrent en jeu vos muscles qui se crispent, vos intestins qui se contractent, vos glandes qui s'affolent. Ne vous étonnez pas si, dans ces conditions, vous êtes agacé, tendu, incapable de contrôler votre humeur. Le conflit que vous entretenez vous déchire parce que votre cerveau reçoit des ordres contradictoires.

Il vous faut dépister le conflit, rétablir l'équilibre de vos forces et régler à nouveau, sur d'autres bases, le mécanisme de vos centres nerveux inférieurs.

Le dépistage des conflits et des complexes

Nous ne sommes pas acceptables socialement quand nos émotions surcomprimées se déchaînent. C'est pourquoi il faut réduire, au plus tôt, la sensibilité et l'émotivité excessive afin de ne pas laisser les troubles émotionnels devenir plus exigeants, plus fréquents.

Pour ne pas souffrir de l'excès de tension nerveuse issue d'un conflit ou d'un complexe, il nous arrive de repousser dans le subconscient un obstacle difficile à franchir ou une décision pénible à prendre; de sorte que, lorsque le moment d'agir est venu, la cause du barrage psychologique est masquée à notre entendement: elle est au-delà de notre raison consciente. Le sujet timide ne sait pas ce qui le trouble. Il ignore le conflit intérieur qui le désaxe; il nage dans la confusion mentale, il essaie de se libérer de ce qui l'entrave; mais il s'épuise à chercher une solution et chaque nouvelle défaite entraîne une dépression plus grande.

Si l'on considère que tout échec dans la lutte psychologique a un résultat conscient et subconscient, on comprend que l'énergie corporelle s'affaiblisse, que la fatigue et le découragement s'amplifient; tandis que la lutte angoissante se poursuit dans le subconscient et exerce ses ravages dans l'organisme.

En vous laissant affaiblir par un conflit interne, vous vous placez dans la situation de quelqu'un qui s'estime battu d'avance: vous refusez de regarder l'ennemi en face; vous vous résignez à la défaite; vous capitulez en perdant la confiance en vos forces et le goût de la vie. Faites ce qu'il faut pour savoir en quoi consiste votre ennemi et où il se cache, si vous voulez libérer la force destructrice qui est en vous et vous en rendre maître.

Le traitement physique ayant remis en état vos fonctions corporelles, le traitement psychique vous dévoilera le conflit de tendances existant et vous donnera le moyen de développer une force antagoniste capable de le juguler et de le vaincre.

En cas d'anomalies subites ou graduelles dans votre caractère, il ne suffit pas de rétablir la force du corps et celle de l'esprit pour affronter avec succès l'ennemi intérieur: il faut discerner l'origine du déséquilibre psycho-physique, rechercher si les tendances inconscientes non satisfaites ne sont pas la cause initiale des troubles. Si oui, vous devez les révéler à vous-même, les interpréter, analyser les motifs de votre conduite et la juger équitablement.

Après avoir dépisté la cause cachée du trouble, vous aurez à trouver une voie d'écoulement, un débouché capable de libérer l'énergie accumulée et de vous délivrer de la tension intolérable qui vous rend nerveux et timide. Le subconscient joue un rôle essentiel dans presque tous les conflits intérieurs où la solution des difficultés superficielles résultantes suffit en général à rétablir l'équilibre rompu.

Le complexe, une fois découvert, peut devenir un stimulant, notamment le complexe d'infériorité. Nous avons tous plus ou moins un tel complexe du fait que nous naissons dans un état de dépendance par rapport à ceux qui nous entourent, et aussi parce qu'il se trouve toujours, dans la vie sociale, quelqu'un qui s'efforce de nous persuader que nous sommes inférieurs à nos voisins ou à notre tâche.

C'est en essayant d'instinct de nous maintenir à la hauteur des circonstances, de jouer pleinement notre rôle, que nous parvenons à nous hausser au-dessus de nous-mêmes en attaquant sans hésiter les choses qui nous font peur.

Cependant, le complexe d'infériorité freine l'initiative. Si vous vous sentez peu doué, peu intelligent, vous serez torturé par le manque d'assurance, vous reculerez devant l'effort parce que vous serez convaincu de son inutilité. Le complexe de supériorité, l'attitude habituelle de mépris pour les personnes et les opinions des autres, se traduit par l'impulsion de se faire valoir. Si cette impulsion est refoulée dans le subconscient, par les parents ou par les maîtres, elle crée autant de complexes que le refoulement de l'impulsion sexuelle.

En présence d'un complexe sexuel, il ne faut ni étouffer brutalement l'impulsion, ni lâcher la bride au sexe en gaspillant la sexualité et l'énergie: l'impulsion surcomprimée risque de disparaître et avec elle, la source profonde de l'énergie vitale.

Dans les complexes d'infériorité aussi bien que sexuels, le conflit qui naît au-dessous du niveau de la conscience se développe parce que l'une des deux grandes impulsions de notre nature, la volonté de puissance et le désir procréateur, se trouve frustrée. Le complexe bloque l'énergie émotionnelle normale dans son expression et le sujet tend à agir d'après des mobiles enfantins; il est inadapté, c'est-à-dire coupé des sources d'énergie renfermées dans son subconscient.

là pourquoi beaucoup de gens refusent inconsciem- devenir adultes. Pour ne pas avoir pris soin de dépister à temps leurs complexes et d'en libérer la force, ils manquent toutes les occasions de leur vie en persistant à régler leur conduite d'après les mobiles qui inspiraient celle de leur enfance. On rencontre ainsi nombre de personnes qui n'ont pas «grandi» faute d'une psycho-analyse, opérée avec aide ou sans aide, et d'un réajustement émotionnel convenable. Ce sont les caractères de type rêveur, grognon, solitaire, timide, bouffon, despote, méfiant, jaloux, morose, etc.

La recherche des causes de conflits

Le timide ne peut parvenir à vaincre son anxiété nerveuse s'il n'en connaît pas la cause exacte après l'avoir déterminée par la psycho-analyse et l'avoir admise comme telle.

Il ne s'agit pas de se livrer à une analyse intensive et anormale, capable d'accroître le trouble au lieu de le réduire, par l'effet d'une contemplation morbide des processus subconscients qui nous dirigent à notre insu. Il s'agit, plus simplement, de repérer, au fond de la mémoire, certains faits anciens plus ou moins volontairement négligés ou oubliés, comme les incidents ou les circonstances qui ont pu créer des troubles sur le plan animal de notre vie, en particulier pendant l'enfance.

On sous-estime trop le danger de la crainte imprimée délibérément dans la nature profonde de l'enfant et qui se révèle ultérieurement être le germe de certains états de détresse qui annihilent la personnalité ou qui entravent son développement.

Les psychoses fonctionnelles sont essentiellement des «paniques» où l'instinct de la peur, ancré dans le subconscient dès le jeune âge, est la cause déterminante du désordre mental. Au lieu de prendre l'habitude de raisonner avec l'enfant et de l'éduquer autant que possible par l'exemple, on trouve plus simple de le gouverner et de le contrôler par la crainte.

Si l'enfant est comprimé, effacé, inhibé en présence de ses parents ou des personnes qui le surveillent, il réagit en devenant «sauvage» et en allant aux extrêmes de ses pulsions instinctives lorsqu'il échappe à la surveillance de ceux qui s'imposent à lui par la crainte. Les punitions corporelles et les sanctions douloureuses, pour une conduite jugée mauvaise, ont peu d'influence; elles ont même des résultats nuisibles chez les enfants hypersensitifs.

Parmi les chocs émotionnels qui étouffent l'ambition, le désir et l'espoir d'être quelqu'un, le plus nuisible est le ridicule dont certains parents couvrent les tentatives de l'enfant pour trouver les moyens d'expression qui doivent lui permettre de se réaliser dans le sens de ses propres aptitudes. Le ridicule détruit la confiance, l'abandon; il creuse un fossé entre l'enfant et ceux qui devraient lui servir d'appuis et de guides.

La critique sans ménagements, la désapprobation constante aussi bien que le manque d'approbation détournent l'ardeur irrépressible de la jeunesse. Elles forcent l'énergie de l'enfant à s'épancher dans des voies futiles, sinon destructrices; car le potentiel d'expression cherche un exutoire quand il est bloqué par l'autorité parentale ou par d'autres contraintes de l'ambiance. Morigéner n'est point l'art de tout le monde, car il faut savoir y apporter les correctifs nécessaires, les encouragements compensateurs. Il est beaucoup de sujets à qui, en les reprenant, on arrache leurs meilleures qualités sans les corriger de leurs moindres défauts.

Nombre de conflits et de complexes qui se manifestent fâcheusement à l'âge adulte viennent de ce qu'on apprend aux enfants à avoir honte d'eux-mêmes, de ce qu'on les accable de fautes lourdes, sans qu'ils soient à même de savoir ce que ces reproches signifient. L'arme du ridicule, en tant que facteur d'inhibition, donne au sujet un sentiment de détresse et d'infériorité, avec des suites telles que timidité, mépris de soi-même, angoisse, confusion mentale en face d'autrui, habitude de rougir, de balbutier ou de bégayer, etc.

Pour dépister les causes inconscientes de conflits et complexes dans le subconscient, vous pouvez utiliser le questionnaire ci-après auquel vous répondrez par écrit, en toute sincérité, en faisant appel à vos souvenirs pour vous remémorer la façon dont vous avez été traité dans votre enfance et les incidents qui vous ont laissé une forte impression.

QUESTIONNAIRE DE PSYCHO-ANALYSE

1. Dans votre enfance, vous a-t-on contraint au silence, au mutisme de principe, au refoulement d'expression personnelle qui a souvent pour conséquence une difficulté de parole ou un embarras gênant de timidité?
2. Vos réflexions d'enfant ont-elles été accueillies avec indifférence ou impatience, ce qui peut rendre timide, par défaut d'expansion, et incapable de sympathiser?
3. Vos questions à l'entourage sont-elles le plus souvent restées sans réponse, ce qui vous a fait douter de vous-même et perdre confiance en vos moyens?
4. Votre amour-propre d'enfant a-t-il été abaissé par des suggestions d'incapacité et d'infériorité qui vous ont conduit à abandonner tout effort de perfectionnement?
5. Vous a-t-on imposé une façon de penser et une ligne de conduite excluant de votre part toute initiative, ce qui a étouffé votre désir d'entreprendre et votre sens des responsabilités?
6. Avez-vous été privé de marques d'affection, alors que d'autres en recevaient près de vous? Vous a-t-on fait des promesses que l'on n'a pas tenues ou dont on s'est débarrassé par des mensonges?
7. S'est-on conduit d'une manière inconséquente à votre égard, tantôt avec beaucoup d'attention, tantôt avec un manque complet de sollicitude, ce qui a pu vous faire devenir anxieux?
8. Dans votre première enfance, avez-vous été choyé et traité avec indulgence, au lieu de vous voir imposer une discipline, ce qui a pu vous rendre susceptible et jaloux?
9. Avez-vous eu un sentiment de dépendance et de crainte envers une mère ou un père dominateur, exigeant et froid, ce qui aura éveillé en vous un ressentiment accompagné d'une hostilité secrète?
10. Des punitions injustes vous ont-elles été infligées par vos parents ou par vos maîtres, avec des mouvements de colère réciproques?
11. Une éducation sévère a-t-elle entretenu en vous un sentiment de révolte contre les restrictions imposées par l'autorité et par les autres formes de contrainte?

12. Avez-vous été partagé entre les impulsions hostiles nées de vos ressentiments et le désir de maîtriser ces impulsions, ce qui a pu vous conduire à servir passivement votre entourage et à le dominer à la fois?
13. Avez-vous souvenance d'une émotion sexuelle de jeunesse que vous avez refoulée en secret avec un sentiment de culpabilité et de honte?
14. Avez-vous entretenu des remords excessifs, dans votre enfance, pour des fautes sexuelles légères?
15. Votre découverte de la sexualité a-t-elle eu lieu dans des conditions ayant entraîné un intérêt et une curiosité qui vous en ont fait exagérer l'importance?

Parmi les manifestations du complexe d'infériorité dissimulé dans le subconscient, on peut distinguer:

- La paresse systématique, la non-envie de travailler.
- Le désir subconscient de trouver dans la fatigue, réelle ou imaginaire, une excuse à l'insuccès sur le plan pratique.
- L'aversion pour le travail que l'on est obligé de faire.
- La tendance à se détourner des choses difficiles ou désagréables.
- Le désir d'inspirer à tout prix de la sympathie aux autres pour s'en faire aider.
- La tendance à détester le conjoint dans le ménage.
- L'idée de se faire entretenir par le conjoint ou par le corps social.

Dans tous les cas, le subconscient recherche la décompression par des voies obliques. Il utilise le mécanisme psychique de la fuite pour ne pas avoir à combattre, c'est-à-dire pour échapper aux situations déplaisantes ou pénibles. Dans ce but, l'être subconscient suggère au moi conscient un motif plausible d'abstention, qui peut être la dépression, la fatigue réelle ou imaginaire, ou l'usage d'un stimulant artificiel pour surmonter la faiblesse ou l'ennui.

Si le sujet n'arrive pas à fuir et qu'il est obligé d'affronter, malgré lui, la situation et la lutte, il réagit par un excès de timidité, d'embarras visible, de perte de mémoire et de confusion mentale.

La connaissance rationnelle du sexe

La sexualité et les complexes d'ordre sexuel jouent un grand rôle dans la timidité, car tout ce qui entrave l'exercice d'une sexualité saine et normale déforme le caractère et sape la confiance en soi.

Il faut rendre naturels l'idée de la fonction sexuelle et son exercice, pour que la sexualité bien comprise, bien orientée, demeure un élément de force psychique et d'énergie vitale, au lieu d'être un facteur de perturbation nerveuse. Tout ce qui a trait aux organes de la génération exerce sur les sentiments et sur les idées une influence directe et décisive.

Dans l'un et l'autre sexe, l'entrée en activité de ces organes, ainsi que leur état d'excitation ou de déficience, créent des tendances prédominantes pour l'état moral du sujet et son activité mentale. Des conflits et des complexes sexuels risquent d'apparaître à la suite de troubles affectifs, lorsque le sujet prend brusquement conscience d'un pouvoir redoutable dont il ignore la force et dont il ne coordonne pas le mécanisme avec le reste de son organisation psychique.

Les enfants normaux acquièrent, seuls, pendant l'adolescence et parfois dès l'enfance, une information étendue concernant le sexe. Cette révélation est nécessairement entachée d'ignorance, de déformation, de superstition et de vilenie, quand l'initiation est laissée aux soins du hasard. Il est désirable qu'une information normale et saine soit donnée volontairement, en temps utile, et débarrassée de tout sentiment de dissimulation et de honte qui entraînerait une curiosité malsaine et des pratiques anormales.

Au point de vue sexuel, l'éducation donnée doit tendre à éviter les complaisances triviales et prématurées, aussi bien que les répressions inutiles.

Il n'est pas toujours facile de décider à quelle époque et dans quelle mesure l'information utile doit être donnée; mais l'instruction sexuelle est, en général, mal adaptée et trop tardive.

Pour se prémunir contre ce risque, l'information doit être graduelle pendant l'enfance, pleine et entière au temps de la puberté. La vie sexuelle future du sujet dépend largement d'une révélation progressive. Les parents ne doivent pas reculer devant la nécessité de donner à l'enfant les explications auxquelles sa raison a droit, plutôt que de laisser ce soin à des inconnus de rencontre.

Il ne faut pas attendre que le travail de l'imagination fasse de la sexualité quelque chose de captivant, paré des charmes du fruit défendu: le sujet en exagérera l'importance, et cela deviendra une source de complexes.

Les explications données doivent être prudentes mais sincères: le mensonge sexuel alimente l'imagination de l'enfant. Il l'abandonne, désarmé, à de mauvaises fréquentations. Il expose les filles aux pires déboires. La jeune fille ne doit pas être la dupe de ses élans instinctifs; elle doit connaître de bonne heure la physiologie du sexe et apprendre à considérer ces faits universels comme la manifestation de la puissance du pouvoir créateur dans toute la nature.

Il est légitime d'aspirer à la douceur d'une union charnelle complète; mais il importe de l'exalter, de la grandir par l'entière communion des âmes et par la notion des devoirs qu'elle impose à l'être humain dans le plan général auquel il s'intègre. Il faut se représenter l'union des sexes comme une œuvre grandiose, naturelle et saine dont dépendent la force de la race et sa beauté, au-delà de la simple sollicitation des sens.

Beaucoup de timides sont des névrosés d'ordre sexuel, à la suite d'une initiation infantile fautive qui a laissé dans l'esprit un ferment de honte, ou à la suite du déséquilibre nerveux causé par le désir qui ne peut être assouvi. Le désir est enflammé par l'imagination qui lui prête des formes diverses lorsqu'il est refoulé par la censure. L'angoisse et l'obsession apparaissent si l'équilibre sexuel ne peut être assuré en idée et en fait.

Si vous souffrez d'un complexe de cet ordre, cherchez ce qui vous inspire un sentiment de honte, de crainte, de timidité ou de mépris dans l'ensemble de l'acte sexuel; à cet effet, remontez à vos impressions anciennes. Dites-vous que la sexualité est une fonction semblable aux autres, ni plus élevée ni plus basse, qui ne doit pas être négligée ni surestimée, et qu'il n'y a pas en elle d'humiliation ni de plaisir particulier sauf celui de satisfaire un appétit normal.

Dites-vous aussi que vous devez préserver votre vitalité sexuelle, la maintenir intacte, car la faiblesse sexuelle va de pair avec la nervosité et la timidité. Cherchez une solution au problème sexuel dans les voies de la nature normale, équilibrée et saine, sans licence ni perversion. Si vous exagérez l'instinct qui excite les nerfs, la fonction sexuelle devient une cause de déviation psychique, une hantise suivie de troubles nerveux.

Les timides imaginatifs et sensibles sont les sujets les plus exposés au trac sexuel qui détruit l'estime de soi et la confiance en soi. Si c'est votre cas, réagissez sans retard en méditant le fait que le désir sexuel, chez l'être humain, est en général le fruit de l'imagination; tandis que l'expression du désir, sa manifestation corporelle, dépend de l'état d'équilibre de l'organisme.

La puissance sexuelle résulte ainsi d'une conjugaison de deux éléments, l'un physique et l'autre psychique. L'accord ne se réalise pas toujours dans le temps, de sorte que beaucoup de personnes n'arrivent pas à trouver la coïncidence nécessaire au plein exercice de la fonction. Ces ratages de l'instinct sexuel ne sont pas surprenants ni déshonorants; ils se produisent parfois sous l'effet d'une influence locale déplaisante: bruit, odeur, vision désagréable, etc., venant troubler l'état de détente psycho-physique indispensable.

Si le trac sexuel vous inquiète, méditez le fait que votre imagination est en cause parce qu'elle vient troubler, quand il ne le faut point, le jeu de la nature. Ne mettez pas d'imagination là où l'instinct seul doit se manifester; elle ne peut que vous inspirer la crainte funeste de l'échec.

S'il vous est difficile de suspendre volontairement votre activité mentale, vous pouvez la diriger sur l'idée que votre partenaire sexuel trouverait une satisfaction semblable auprès d'un autre que vous. Cette considération humoristique est de nature à vous procurer la détente, laquelle vous délivrera de la tension psycho-physique, de la peur de la gaucherie et du ratage dont tout timide est exposé à souffrir.

Au lieu de réprimer violemment l'instinct génital ou de le satisfaire dans le désordre, attachez-vous à le gouverner en donnant une autre forme à l'impulsion primitive, en la transformant en actes capables de vous intéresser suffisamment pour chasser la hantise de l'imagerie sexuelle.

La dérivation de l'énergie psycho-sexuelle vers de grandes idées ou des réalisations passionnantes est un devoir moral, en même temps que le meilleur remède au tourment causé par les désirs sexuels subconscients. En effet, vous échapperez au tourment des complexes sexuels si vous dirigez votre énergie vitale vers des fins plus nobles ou si vous l'appliquez à un métier, à une profession, à un art qui vous oblige à fixer votre imagination sur un sujet apte à la retenir tout entière.

Le changement volontaire des états d'âme

Vous êtes timide et votre sensibilité excessive est un obstacle majeur pour le rendement de votre activité mentale, comme pour l'efficacité de votre travail.

En examinant votre vie passée, à l'effet de dépister vos conflits affectifs et vos complexes psychologiques, vous avez éveillé au fond de vous-même le désir d'accomplir des actes meilleurs grâce à la réserve d'énergie subconsciente où vous trouverez la force et le courage nécessaires pour agir.

Pour libérer ces forces et utiliser ces réserves, vous devez modifier vos points de vue, changer votre état d'esprit en remplaçant les émotions destructrices par des émotions saines. Prenez volontairement le contre-pied de la situation présente; par exemple, en remplaçant le découragement par l'enthousiasme, l'hésitation par l'initiative, le sentiment d'infériorité par la confiance en vous-même.

Vous pouvez vous sentir triste et déprimé, ou bien joyeux et alerte; tout dépend de la façon dont vous envisagez les choses. Il est facile de réagir par des sentiments agréables et optimistes: confiance, espoir, etc., que vous pouvez entretenir consciemment en envisageant la vie sous un autre angle. En ce moment, votre système est perturbé, affaibli, mais vos nerfs sont intacts; ils fonctionneront mieux dès que vous aurez retrouvé votre tranquillité morale sous l'influence de sentiments réconfortants, en raison de l'influence du psychique sur le physique.

Le dérèglement psycho-nerveux dont vous souffrez vient des fausses communications que votre sympathique transmet à votre cerveau: le train de vos émotions dévie de sa route; il faut le remettre sur les rails en substituant des émotions vraies, saines et utiles aux émotions fausses qui sont nuisibles par nature.

Et d'abord, n'abusez pas de votre pouvoir en ce qui touche les jugements que vous pouvez porter sur vous-même.

Méfiez-vous des fausses évaluations. Si vous commettez une erreur, attachez-vous surtout à voir comment vous pouvez en éviter le retour. Si l'erreur est irréparable, ne vous désespérez pas pour autant: le chagrin sur le plan matériel est une perte d'énergie et le remords une attitude qui paralyse.

Après une faute lourde, il est normal d'avoir mauvaise conscience, mais cela ne suffit pas pour que vous ayez à vous juger d'une façon formelle et sans appel: des motifs subconscients ont pu intervenir, qui remontent très loin et dont vous n'êtes pas directement responsable. Faites jouer la loi des compensations: une faiblesse peut servir d'échelon de réussite à la condition de la compenser par un mérite d'un autre ordre.

Songez que la véritable intelligence ne dépend pas seulement du cerveau, de la rigueur logique, mais aussi de l'ensemble des qualités qui viennent du cœur, lequel a son intelligence particulière. Si vous vous estimez inférieur dans le domaine des facultés mentales, vous pouvez compenser ce complexe en vous montrant dévoué, aimable, prévenant, serviable, etc., sur le plan affectif et social.

L'esprit et le caractère se transforment par l'entraînement émotionnel des instincts, par le pouvoir personnel de contrôle des sentiments. Le rôle imparti à la raison pure est plutôt secondaire au regard de l'éducation et de la rééducation de soi: notre conduite est dictée par nos impulsions émotives, par nos sentiments émotionnels psychologiques. C'est en dérivant nos instincts ancestraux dans des voies permises, c'est-à-dire en appliquant aux instincts émotifs une direction autre que celle de la haine, de la violence, du meurtre, etc., que la société civilisée transforme le descendant du «sauvage» en un individu «acceptable» parce que ses émotions ont été détournées de leur cours normal.

L'éducation affective personnelle

L'éducation des sentiments, qui est aussi celle des émotions et du système nerveux, se fait en grande partie chez soi et par soi. Si ce travail a été négligé ou s'il a été mal dirigé, il faut le refaire en meublant le psychisme d'émotions affectives bienfaisantes aptes à remonter le moral et à calmer le mental: ambition, intérêt, enthousiasme, joie, etc.

Ces émotions doivent remplacer les émotions affectives paralysantes qui correspondent aux sentiments de peur, de culpabilité, de dépression, de souci, etc.

Le plan de rééducation psycho-nerveuse par substitution d'émotions peut se résumer de la façon suivante:

a) Surmonter et éliminer les sentiments négatifs qui aigrissent le caractère et épuisent l'énergie vitale;
b) Cultiver les sentiments positifs, générateurs d'émotions productrices d'énergie utilisable;
c) Appliquer la loi des compensations psychologiques pour remédier aux déficiences mentales éventuelles;
d) Adopter une philosophie de l'existence telle que les nouveaux buts envisagés libèrent des émotions saines et constructives;
e) Déraciner les habitudes anciennes pour en former de nouvelles en vue de sentir et d'agir d'une façon différente;
f) Assurer l'équilibre émotionnel et nerveux en menant une vie ordonnée, ne cédant pas de place aux complexes.

Le traitement moral ci-dessus sera d'autant plus efficace que l'on aura acquis vigueur corporelle et calme nerveux par le traitement physique. Une vie active et utile délivre de l'ennui et aussi du tourment de soi-même, du souci constant qui sape la vitalité.

Délivrez-vous de l'habitude de vous faire du souci pour des motifs futiles. Si les petites choses, qui ne vont pas comme vous voulez, vous tracassent plus que de raison, vous deviendrez défaitiste en tout et pour tout. Chassez les soucis en vous disant que tout s'arrange au bout du compte, que le succès arrive, finalement, à condition d'entretenir en soi une idée motrice accompagnée de sentiments vifs. L'absence de soucis éloignera de vous l'idée fixe d'infériorité, les sentiments d'envie, de méfiance, qui écrasent l'ambition et émoussent l'énergie utile.

Si vous devez parler en public, par exemple, ne vous tourmentez pas à l'avance. Bannissez toute angoisse et ne vous souciez pas de dire exactement, littéralement, ce que vous avez préparé.

Dans les contacts sociaux, soyez persuadé qu'en dehors du courant de sympathie qui s'établit par une résonance instinctive dont nous ne sommes guère les maîtres, le résultat final est, pour une large part, indépendant de notre vouloir. Faites ce qu'il faut dans chaque cas, puis laissez se dérouler les événements après avoir été naturel dans vos rapports avec les gens, qu'il s'agisse d'égaux, d'inférieurs ou de supérieurs.

Vivez à fond le présent. Ne revenez pas sur les erreurs commises, sinon pour vous en garder. Maintenez votre esprit alerte en évitant les occasions de troubles affectifs et en changeant d'attitude envers les sujets qui peuvent vous faire perdre votre calme. Demeurez attaché en principe à une seule idée directrice; mais, dès que votre intérêt pour une question faiblit, dirigez-le vers une autre tâche.

Vous pouvez neutraliser les émotions malsaines, les chasser de votre esprit, déraciner les mauvaises habitudes par une rééducation psychique qui vous permettra de sortir de l'ornière, d'envisager la vie sous un autre aspect et d'affirmer avec force votre personnalité. Ensuite, ou en même temps, vous devez mener une vie équilibrée sur le plan matériel, afin de ne pas laisser s'embrouiller l'écheveau de vos nerfs et de toujours arriver à avoir le dessus en dépit des difficultés présentes.

Si vous ne voulez pas gâcher votre vie, si vous voulez être utile à vous-même et aux autres, ne laissez pas se rétrécir le cercle de vos activités et de vos intérêts. Élargissez votre horizon social pour vous oublier dans l'action extérieure et équilibrer ainsi votre existence. Pour établir, dans le temps, votre programme de vie saine, divisez vos préoccupations en plusieurs groupes, par exemple: travail personnel, occupation d'amateur, activités sociales utilitaires et récréatives, santé corporelle par l'exercice et le sport.

Dans le métier ou la profession, choisissez un travail que vous aimez ou, tout au moins, que vous effectuez sans ennui et qui vous laisse quelque loisir, entre-temps, pour rendre le travail agréable. La vie équilibrée veut que l'on consacre plus de temps au travail qu'aux loisirs, et que l'individu s'oriente vers une vocation utile convenant à ses aptitudes. Cela est essentiel pour l'épanouissement de la personnalité et l'adaptation aux conventions sociales.

L'acceptation du monde tel qu'il est

Le timide vit sous l'impression d'être étranger au monde qui l'entoure. Il réagit à cette émotion en se repliant sur lui-même avec un sentiment d'impuissance et d'échec qui l'accable.

Si vous êtes timide, il se peut que vous preniez une attitude rebelle en face d'un monde impitoyable et dur, une attitude négative hostile accompagnée d'un sentiment de frustration. Vous pouvez aussi vous résigner, même à contrecœur, et accepter la vie et le monde tels qu'ils sont. Alors, vous vous efforcerez de tirer votre épingle du jeu en acceptant les situations pénibles quand elles sont inévitables.

Dès que vous commencerez à vous mettre à l'unisson de toute une série de faits plus ou moins en accord avec votre tempérament, et si vous jouez le jeu de bonne grâce, à l'occasion, en acceptant facilement de perdre la partie, vous prendrez une part normale à la vie sociale. Voilà pourquoi il faut apprendre au plus tôt à accepter la réalité, plaisante ou déplaisante, c'est-à-dire à connecter exactement la vie mentale intérieure avec les faits du monde extérieur.

La vie mentale de l'être humain, dès l'origine, est telle qu'il développe inconsciemment l'idée de sa toute-puissance: dans le sein maternel, il a peu de besoins et ils sont satisfaits sans aucun effort de sa part. À la naissance, la crainte apparaît avec l'idée qu'il existe des obstacles dans le milieu extérieur qui ne fournit plus automatiquement nourriture et chaleur.

L'enfant crie et manifeste ses besoins par signes. Dans l'ambiance, il ne voit que son propre corps; par la suite, la parole traduit l'éveil de la pensée consciente et permet son plein développement. Les mots magiques grâce auxquels tout s'obtient suivent les gestes de la première enfance. L'enfant se voit servi dès qu'il prononce ces mots. Il s'imagine que tout ce qu'il désire doit résulter de son simple souhait. S'il voit que l'objet convoité ne lui vient pas de cette manière, il prétend qu'il ne l'a pas voulu du tout, ou bien il imagine qu'il possède en fait la chose ou la satisfaction souhaitée.

La facilité d'accomplissement de tous les désirs de l'enfant, si elle n'a pas été réfrénée par des résistances opportunes, ce qui fait partie d'une éducation rationnelle, peut créer des idées fixes de fausse croyance en l'omnipotence des désirs instinctifs de l'adolescent et de l'adulte. Le sujet, mal éduqué, pense que tout lui est dû, que tout doit lui arriver comme par enchantement, que rien ne peut lui résister: il est voué, de la sorte, aux pires désillusions et à tous les aléas de l'existence, sauf si les choses se présentent, pour lui, d'une façon extraordinairement favorable.

Même dans ce cas, le sujet ne sera pas une personnalité saine, complète, sûre d'elle, capable de se réaliser à fond, sa vie sera toujours plus ou moins manquée. Il passera ses heures à regretter les temps et les lieux où la magie des mots et des gestes suffisait à la réalisation de ses désirs. Le remède est dans la psycho-analyse et dans la rééducation affective.

Chez le timide émotif, le sens de la personnalité peut se développer suffisamment pour que le sujet soit convaincu de la disparité qui existe entre le niveau intérieur de son psychisme et sa position dans la hiérarchie sociale. Le sujet souffre alors d'un complexe d'infériorité, il ne pense pas qu'il lui soit possible de s'adapter à l'ambiance; il se réfugie dans l'introversion, dans la descente en soi-même, dans le repliement vers les profondeurs inférieures de l'inconscient.

Si vous ne voulez pas sombrer dans une haine croissante de l'activité, du travail et de l'initiative, évitez de vous rappeler trop souvent l'époque où vos parents aimés vous protégeaient et vous rendaient tout facile. Sans vous arrêter sur cette émotion agréable, sans vous y complaire, vous pouvez l'évoquer de temps à autre pour faire le point de la situation en évaluant vos forces présentes; ce qui vous donnera de nouveaux espoirs de perfectionnement et de succès.

Si votre timidité est telle que votre repliement sur vous-même est profond, cela signifie que votre énergie vitale a été épongée par l'inconscient au point que vous semblez l'avoir perdue. Ne laissez pas le mal s'aggraver. Ravivez vos sources d'énergie en utilisant votre repli intérieur à des fins constructives.

Prenez une attitude de combat, de lutte, pour aller de l'avant, pour vous gouverner, pour faire face à vos problèmes du jour et de l'heure, pour envisager l'avenir sous un jour brillant, pour retrouver l'énergie enfouie et avec elle, quelque chose de plus, qui est la sagesse positive ou le sentiment de la beauté.

L'artiste plonge profondément dans son inconscient pour y puiser l'inspiration et la force. Pendant ce temps, il échoue, souvent, dans les choses pratiques de la vie; mais, dans son isolement moral, il lutte afin de créer quelque chose. S'il n'arrive pas à créer, à libérer les richesses accumulées dans son subconscient, il souffrira de troubles nerveux; parfois, il deviendra une épave incapable de se conduire elle-même. Mais s'il parvient à s'exprimer et s'il produit, il se rend compte qu'il le doit au pouvoir créateur enfin mis à l'œuvre, de l'inconscient psychique libéré de toute entrave.

Pour le timide pusillanime, un moyen de vaincre les régressions et d'en finir avec le repliement morbide sur soi-même, c'est de créer quelque chose, non pour obtenir de la considération ou de l'argent, mais pour l'amour de soi-même, pour ne plus être timide et nerveux, pour jouir de plus de santé et de plus de bonheur.

Vous devez, finalement, tuer le dragon et gagner votre trésor. Un bon procédé pour réveiller votre esprit est d'écrire, de vous obliger à mettre en ordre des mots et des phrases, à donner une description exacte et sensible des idées et des choses. Vous pouvez, sans don spécial, faire cet effort: il vous aidera à sortir de vous-même; il vous révélera peut-être un talent personnel dont vous ignorez l'existence.

Dans les moments d'ennui et d'incertitude, mettez-vous à une tâche constructive et attelez-y votre subconscient au lieu de le laisser ruer à l'étable. En éveillant en vous quelque chose qui demandait à être développé, en mettant au jour quelque chose qui demandait à sortir de l'ombre, vous disposerez d'un puissant moyen de vous vaincre, de triompher de vous-même, de regagner votre estime et votre confiance.

L'accord sympathique avec l'entourage

Pour se libérer des tensions psychologiques, le timide doit réduire au minimum la tension existant entre sa personnalité et celle des gens parmi lesquels il vit. Il doit faire en sorte que ses rapports avec le milieu humain environnant soient tout à fait naturels: avoir l'impression d'y être à sa place, bien accueilli, pas étranger, et de faire réellement partie du groupe d'individus qui composent ce milieu. Sa réussite sur le terrain social dépend de la façon dont le milieu agit sur lui et des procédés dont il use pour agir sur son entourage.

Les gens échouent dans les rapports sociaux par manque de faculté d'adaptation, ce qui les pousse à déployer en général plus de force que d'adresse et de subtilité. Ils distribuent mal leur énergie: ils appuient là où la main devrait être légère, et ils diminuent la pression quand ils devraient l'accroître.

Pour vivre dans de bonnes conditions avec l'entourage, il faut de la compréhension pour connaître les gens et les choses, et de la finesse pour utiliser ces connaissances afin de savoir comment faire face à chaque nouvelle situation qui peut se présenter.

La plupart de nos tracas et de nos ennuis viennent de désaccords avec les personnes qui nous entourent. Il existe un mode particulier de conscience, une façon personnelle d'évaluer les choses, dans chaque groupe social avec lequel nous prenons contact. La tension nerveuse, l'embarras, la timidité apparaissent lorsque les modes d'appréciation s'opposent entre eux; la dispute fait perdre le calme, soulève la mauvaise humeur et produit la fatigue.

C'est par un effort de compréhension sympathique que l'on réduit ou que l'on élimine les frictions sur le chemin de l'acceptation de soi-même et d'autrui: après avoir compris que les divers types d'individus peuvent penser d'une façon différente parce qu'ils sont bâtis différemment, la tolérance et le bon vouloir naissent et agissent. Le tempérament de chacun de nous prend appui sur notre constitution physiologique, qui n'est pas celle de notre voisin. Chaque type réagit plus ou moins à l'un de ses sens, et à celui de l'équilibre, du rythme, etc.

La manière dont vous sentez les choses influence nécessairement l'évaluation que vous en faites. Quand vous expérimentez une chose avec succès ou qu'elle vous satisfait à titre personnel, vous l'évaluez à un bon prix; mais un autre individu peut ne pas en faire cas.

C'est pourquoi deux personnes appelées à vivre ensemble souffrent souvent d'un conflit dans leur manière d'apprécier les valeurs, celles des idées, des personnes et des choses. Les deux conjoints peuvent avoir des façons communes de juger certaines valeurs; mais aussi des idées ou des buts que le partenaire ne peut pas admettre ni même supporter. Des difficultés surviennent dès que l'un ou l'autre essaie d'imposer son point de vue.

L'appel des idées n'est évidemment pas le même pour des individus qui veulent en tirer des résultats différents. Ceux qu'intéresse avant tout la considération abstraite des idées peuvent avoir entre eux des discussions honnêtes et utiles. Ils demandent à la pensée de convaincre leur intelligence; ils pensent au lieu d'imaginer leur point de vue personnel.

Un timide tourmenté, soucieux par tempérament, doit éviter de discuter avec un partenaire dont l'intention est d'appuyer une vue théorique des faits, et rien d'autre. C'est perdre du temps et de l'énergie que de discuter, par exemple, avec un homme qui désire seulement exposer la façon de vivre qui lui semble la plus agréable et la plus plaisante. Il est futile de discuter le vrai avec cet homme, car il sera insensible à tout argument étranger à sa dialectique.

En fait d'accord avec l'entourage, réfléchissez à la différence entre la conduite d'un homme qui tend à gouverner ses actions d'après ce que pensent les voisins et celle de l'homme qui agit librement d'après ce qu'il pense lui-même.

Les hommes arrivent à des conclusions différentes et ne vivent pas la même vie parce qu'ils partent d'estimations et de points de vue qui ne sont pas semblables et que même le cheminement de leur pensée ne suit pas toujours des lignes parallèles, sinon un tracé identique.

Celui qui n'a pas d'ambition particulière dans la vie, qui n'est muû par aucun désir d'accomplissement ou de perfectionnement, sera plus inerte, plus paresseux que celui qui a des visées hautes, des buts larges et précis. L'homme libre qui décide de sa propre conduite, qui fait peu de cas de l'opinion d'autrui sans se complaire en lui-même, est plus porté à respecter l'exercice de la même liberté de pensée et d'action chez les autres.

En pratiquant la tolérance, essayez de répondre sincèrement aux sentiments d'autrui, mais exigez aussi la réciproque: ne permettez pas aux gens de vous réduire à la défensive. Pratiquez la tolérance comme une protection contre les critiques de vos voisins. Dans ce but, essayez de comprendre les motifs de celui qui vous blâme, sans vous mettre en peine pour vous défendre et lui renvoyer la balle; ce serait perdre du temps et risquer un éclat.

Il vaut mieux répondre sans acrimonie et tâcher de comprendre les raisons du blâme, plutôt que de le ressentir: vous évitez un trouble affectif et vous gardez l'esprit libre pour agir avec intelligence. D'une manière générale, ne vous souciez pas outre mesure de l'opinion d'autrui à votre égard; sinon vous deviendrez pusillanime, timoré, c'est-à-dire encore plus timide à cause de votre trop grande sensibilité à la louange et au blâme.

Si vous faites passer le compliment ou le reproche avant la volonté d'apprendre et de comprendre, vous risquez de devenir vaniteux, égoïste et susceptible. Entre le désir normal d'être apprécié à votre valeur et la recherche immodérée des éloges, la différence est essentielle.

Pour conquérir l'aisance et la confiance en vos forces, développez l'estime de vous-même et réfrénez le plus possible votre désir d'être flatté, approuvé, louangé. Gardez-vous de louer ou de blâmer à tout propos ou d'exprimer un jugement sommaire sur n'importe quoi. On s'écartera de vous si vous avez cette mauvaise habitude.

Pour vous adapter à votre milieu, c'est-à-dire avoir la paix et tirer parti des gens et des choses, découvrez, par l'analyse, quel est votre tempérament, de manière à pouvoir le contrôler et le diriger sans entrer en lutte ouverte avec lui.

En même temps, attachez-vous à respecter les tempéraments des autres, où les éléments constitutifs sont mélangés dans des proportions diverses, ce qui rend différentes les façons de comprendre, d'interpréter, de juger, ainsi que la nature des plaisirs, des intérêts, des buts, des espoirs. En déterminant votre type spécial d'individu, vous aurez beaucoup moins d'effort à dépenser pour demeurer vous-même dans le groupe social où vous évoluez et pour vous accepter tel que vous êtes.

Notez qu'on se connaît au point de vue du tempérament et du caractère quand on se découvre typiquement semblable à d'autres individus ayant les mêmes façons de penser, de sentir et de réagir.

La culture mentale permet à chacun de transformer son caractère, de le perfectionner dans le sens de l'équilibre, de l'utilité, de la beauté et de la bonté. Mais il y a toujours, entre certains êtres, des incompatibilités d'humeur.

Si vous entrez en conflit avec une partie de votre entourage, vous pouvez tenter de freiner vos réactions affectives et d'emboîter le pas, ou bien essayer de transformer le milieu. Si vous ne réussissez ni dans un sens ni dans l'autre, il vous reste à quitter le milieu et à en choisir un autre plus conforme à vos exigences personnelles.

CHAPITRE XV

Le traitement mental de la timidité

Ce traitement met en œuvre les facultés logiques de l'esprit, savoir, intelligence, raisonnement, associées aux pouvoirs de la suggestion consciente, pour que le sujet non seulement ne soit plus timide, mais devienne audacieux, décidé, déterminé, entreprenant, hardi.

Tous les efforts intelligents d'entraînement mental pour perfectionner l'homme visent à modifier la direction des tendances impulsives dans le sens d'une meilleure adaptation à la propre nature de l'individu et à celle des autres. Quand les organisations civiques et les collectivités locales d'un pays favorisent la création d'écoles professionnelles, de centres sociaux, de cours du soir, de bibliothèques, de terrains de jeu, etc., pour que jeunes et adultes puissent occuper leurs loisirs à des études utiles et à des distractions saines, c'est après avoir reconnu que la nature primitive de l'homme peut être influencée, orientée, changée.

L'analyse psychologique révèle qu'un être humain est un mélange d'égoïsme et d'altruisme, de cupidité et de générosité, d'hostilité et d'amitié, de haine et d'amour, de folie et de sagesse, d'esprit destructeur et d'esprit constructif, de fidélité et de manque de foi.

Dans chaque individu, ces traits opposés existent à des degrés divers: chaque fois que la puissance d'une ou de plusieurs de ces qualités ou de ces défauts augmente ou diminue, on peut dire que la nature de la personne a été changée. Cela se produit d'une façon courante à la suite d'une modification de l'environnement physique, émotionnel et intellectuel.

Parfois, les hommes et les femmes qui s'intéressent à la psychologie pratique prennent en main la construction de leur caractère par un entraînement mental qui diminue les effets de l'égoïsme et des mauvais penchants, corrige les défauts, harmonise les tendances et développe les qualités personnelles.

Vous pouvez réorganiser votre vie et transformer votre caractère en appliquant une méthode de culture mentale qui resserrera vos contacts avec le réel, élargira vos facultés intellectuelles d'adaptation et libérera le refoulement de vos dynamismes intérieurs. Cette méthode vous aidera à rétablir l'équilibre psycho-nerveux et à le maintenir, en équipant votre personnalité des réflexes conditionnels nécessaires pour pouvoir faire face rapidement et sans effort à des situations qui vous paraissent jusqu'ici alarmantes.

Pour le développement personnel, la méthode organise les aspects de la conduite consciente qui se réduisent à un système de réflexes nouveaux, élaborés et fixés selon des lois bien définies qui sont celles de tout apprentissage.

Dans l'entraînement mental, les réflexes nouveaux se montent et s'enracinent parce que les impulsions psychiques planifiées — répétées dans certaines conditions — traversent facilement ensuite la jonction de la fibre nerveuse inductive avec une autre fibre allant vers le centre nerveux induit.

Par ce processus psycho-physique, vous pouvez tout aussi bien meubler votre cerveau d'idées nouvelles, saines et constructives, qui fonctionneront comme un servomoteur pour chasser automatiquement les idées nuisibles. Vous éliminerez ainsi les craintes illusoires, la nervosité, la timidité, etc., et vous n'attacherez plus aucun intérêt à ce qui ne présente pas pour vous de véritable importance.

Les moyens de libération

Pour surmonter les conflits et les complexes qui vous rendent timide, vous avez dû d'abord voir clair en vous-même: vous avez discerné les sentiments que vous aviez refusé de reconnaître parce que vous les jugiez inavouables. Puis, vous avez découvert les tricheries employées par votre mental psychologique pour vous donner le change, pour vous rendre inconsciemment dupe de vous-même.

Une fois vos tendances blâmables avouées et reconnues sans aucun sentiment de honte ni de culpabilité, vous devez aiguiller leurs énergies sur la bonne voie afin de lever les obstacles qui empêchent votre intégration complète à la vie. Pour adapter au mieux les tendances, il ne faut jamais les heurter de front. Vous y arriverez en dérivant toute tendance insuffisamment adaptable vers une activité d'ordre supérieur, soit vers des buts analogues à ceux que la tendance recherche: par exemple, la chasse, la découverte, l'aventure, si l'instinct agressif domine.

Il reste à ménager à votre affectivité des exutoires pris en dehors de la vie normale plus ou moins mécanisée, tels que travaux d'art, fantaisies, petites passions, etc., qui constituent en quelque sorte un violon d'Ingres.

Ne pas contrarier violemment vos tendances, ne pas entrer en conflit direct avec vos instincts profonds, c'est le point essentiel de la cure. La lutte ouverte doit cesser en vous, car le combat intérieur dont vous êtes victime vient de votre attitude anormale envers la vie telle qu'elle se présente, sans que vous puissiez en changer les conditions, si injustes et si pénibles soient-elles. La vie dans son ensemble — son universalité — a ses rythmes et processus qu'on ne peut hâter ou retarder à l'excès sans mal et sans souffrance.

La plupart de nos maux viennent de la lutte sourde qui se poursuit entre nos instincts animaux et les aspirations de notre esprit, entre nos désirs supérieurs et inférieurs.

Ignorer l'animal qui est en nous et sa vie instinctive puissante, c'est nous amputer d'une moitié, nécessaire, de nous-mêmes. Donner libre cours aux énergies frénétiques de l'homme des cavernes, c'est ignorer les joies supérieures de l'esprit et s'exposer à de dangereux rappels à l'ordre.

Nous devons adapter sans cesse notre vie animale à des fins plus hautes, pour devenir des êtres humains complets qui avancent continuellement sur le chemin de la perfection: celui du développement personnel.

En cas d'échec et de névrose, le remède est de s'analyser, de se comprendre, de se surmonter et de harnacher les instincts après les avoir mis au pas. Les symptômes de névrose — comme ceux de la timidité maladive — trahissent l'effort tenté par la vie à l'intérieur de l'organisme pour rétablir l'équilibre et l'harmonie détruits ou troublés par la déviation de l'énergie vitale dans des voies stériles, non créatrices.

Dans la vie pratique, chaque individu cherche sans cesse et de toutes façons à avoir assez de puissance et à l'affirmer suffisamment pour mériter tout au moins sa propre estime.

Vous êtes fait ainsi et, si la voie qui mène à ce but vous est fermée, vos accès de timidité traduisent les efforts inconscients que vous faites pour l'atteindre en dépit du barrage, c'est-à-dire pour tenter de résoudre à votre manière le conflit qui réduit votre force et vous diminue à vos yeux. Les symptômes de timidité résultent d'une entrave dans votre élan normal vers le but, entrave due aux circonstances passées et présentes qui vous paralysent ou vous tirent en arrière.

Vous devez comprendre l'intention obscure de ces phénomènes physiques et mentaux: ils expriment le travail que vous faites inconsciemment pour vous libérer de l'angoisse, rendre vos nerfs plus calmes, vos réactions moins vives, votre volonté plus ferme.

L'analyse psychologique intuitive guidée vous éclairera sur la signification de vos troubles. Ensuite, le traitement mental conduira votre conscience dans une voie voulue par vous: voie de liberté et de constructivité qui vous intégrera avec la vie exprimée sous d'autres aspects, à travers d'autres formes.

Pour voir disparaître vos symptômes de nervosité et de timidité, ouvrez toutes grandes les portes de votre âme aux rythmes de la vie; laissez le fleuve de la vie couler librement en vous; ne le lancez pas contre des obstacles imaginaires qu'il lui faudrait détruire; vivez à fond le présent sans trop courir après les résultats tangibles de votre activité: ceux-ci viennent plus aisément à ceux qui ne s'absorbent pas dans la perspective de satisfactions immédiates.

Les moyens de réforme

Par une véritable purgation morale, vous avez pris conscience de ce qui est refoulé en vous et vous avez amené ce refoulement à la conscience; vous avez obtenu ainsi la possibilité de vous décider en meilleure connaissance de cause et celle de mieux résoudre vos conflits par un traitement mental.

Il s'agit de réformer, par une technique apprise, tout ce qui doit être changé dans vos habitudes de corps et d'esprit afin de ne pas contrecarrer votre résolution de vous forger une mentalité apte à servir de hauts desseins, par un entraînement qui procure la maîtrise du corps et de la pensée en développant l'estime de soi et la confiance en soi.

Les procédés que vous mettez en œuvre reposent sur l'emploi méthodique et régulier du pouvoir transformateur des images mentales positives de hardiesse, de fermeté, d'intrépidité, de détermination, etc.

L'image est la forme initiale et la plus puissante de la pensée: l'état d'esprit dans lequel nous pensons et agissons détermine nos réalisations bonnes ou mauvaises. Elles tendent à s'opérer automatiquement dans ce sens. Il vous faut cultiver toutes les facultés de l'esprit, notamment l'imagination et la rêverie dirigée, pour les faire servir — avec la plus entière confiance — à la réalisation de vos buts.

En pensant fortement par images, vous influencerez votre subconscient pour développer, à l'aide de suggestions, la faculté de l'effort, particulièrement la confiance, l'aplomb, l'autorité.

En utilisant l'éducation du subconscient comme moyen de réforme, vous éviterez de lui abandonner la conduite des opérations qui restera toujours sous le contrôle de la conscience. La suggestion consciente ne doit pas vous permettre de vous éloigner un seul instant de la réalité actuelle; elle doit toujours substituer un effort constructif à une tendance destructive.

Si vous souffrez d'un symptôme de timidité exagérée, de peur irraisonnée, de trac et si vous affirmez que le symptôme n'existe pas, cette simple déclaration sera une suggestion inefficace parce qu'elle donne lieu à une contradiction formelle: elle nie la réalité. Mais si vous dites que les manifestations de trouble dont vous souffrez sont moins intenses, moins fréquentes et que cela va mieux, vous émettrez une suggestion d'encouragement, de confiance, d'espoir, qui n'est pas contredite par le fait de votre malaise actuel.

Le rôle de l'autosuggestion est de vous persuader imaginativement que le mal disparaîtra et qu'il est en train de s'atténuer. Vous vous isolez autant que possible; vous assurez le contrôle de votre pensée par le relâchement musculaire, la détente, la relaxation; vous fermez les yeux et — sans aucun effort de pensée — vous répétez la suggestion d'amélioration à demi-voix ou à voix basse, pendant quelques minutes.

On peut ainsi corriger un état d'esprit: tristesse, pessimisme, découragement, hésitation, etc.; combattre une idée fixe: impulsion, scrupule, obsession, etc; développer une qualité à acquérir: assurance, audace, aplomb, fermeté, courage, sang-froid, etc.; relâcher ou supprimer un spasme vasomoteur ou glandulaire.

Quand il s'agit d'un trouble physique, le soulagement vient en répétant, aussi longtemps qu'il est utile, la suggestion de se sentir mieux. On peut alors conclure que «c'est passé». Certaines douleurs physiques aiguës peuvent ainsi être soulagées temporairement par l'autosuggestion consciente.

En pratiquant l'autosuggestion par cette méthode passive, où le mental détendu rêve dans un demi-sommeil, il ne faut pas poursuivre le rêve éveillé après les séances de suggestion; ceci pour éviter les effets négatifs des pensées nuisibles qui pourraient surgir le reste du temps. Ne remettez pas le soin de votre guérison aux seules formules optimistes de suggestion destinées à combattre vos symptômes. Demeurez conscient, attentif; gardez votre volonté vigilante pour éviter le surexcitation émotionnelle, ramener l'équilibre par le raisonnement, par un emploi matériel de l'excès d'énergie affective, ou par une émotion saine d'un autre ordre.

Pour ne pas succomber à l'angoisse nerveuse, attaquez d'abord, par des contre-suggestions imagées, la peur et le manque de courage. Vous vous sentirez un peu mieux chaque jour, plus apte à lutter aujourd'hui qu'hier. Vous reprendrez confiance en vous-même, par degrés, jusqu'à la guérison complète, marquée par le retour de l'énergie et de la joie de vivre.

Il faut du courage pour obtenir le rétablissement et le succès, pour ne pas s'embourber dans des soucis puérils et des difficultés insignifiantes, mais persévérer dans la voie droite avec une volonté tenace.

Quand vous avez affirmé que vous pensez de telle façon ou que vous ferez telle chose, faites-le sans rémission en déployant toute votre énergie.

Dans le traitement mental, n'oubliez pas que le flottement, l'indécision sont funestes: le subconscient enregistre vos états psychologiques contradictoires; il échappe à votre influence parce que vos suggestions, émises dans un sens, puis dans l'autre, se neutralisent.

L'acquisition de l'assurance et de l'aplomb

Le succès et l'insuccès dépendent largement des états d'âme que l'on manifeste vis-à-vis de l'entourage: l'égalité d'humeur, la cordialité, la gaieté, l'allant sont les qualités les plus utiles pour se faire des amis, pour être aimé et apprécié des autres. Ces qualités supposent le triomphe sur la crainte, l'inconsistance, l'irrésolution. Elles exigent l'acquisition méthodique de l'assurance et de l'audace.

L'assurance en public découle d'un sentiment intérieur de sécurité; l'aplomb caractérise les gens pourvus d'une assurance que rien ne déconcerte. Souriant et cordial, calme et décidé, l'homme qui a conquis l'aplomb est partout le bienvenu. Il se pousse dans le monde; il réussit dans les affaires; on le recherche à cause de son optimisme communicatif. Ses manières engageantes mettent les autres à l'aise; ses discours adroits gagnent la sympathie.

La méfiance envers soi-même, jointe au défaut de confiance envers les autres, défauts habituels du timide, entraînent le manque d'aplomb en société et, en public, l'incapacité d'exercer une autorité, une influence. Le désir trop vif de perfection, la crainte de se tromper, d'être mal considéré, mal jugé, engendrent des hésitations interminables auxquelles s'ajoute la tendance à ne voir que le mauvais côté de chaque chose, à n'agir que dans un seul sens, à buter avec entêtement contre l'obstacle.

L'homme qui a conquis l'assurance et l'aplomb cherche à tourner la difficulté, quitte à changer ses batteries, à prendre une autre route, à trouver un autre passage. Il ne s'obstine pas à voir les choses sous un seul angle, telles qu'il les souhaite suivant ses propres goûts.

Vous êtes timide et vous vivez dans la crainte de l'insuccès. Vous vous abstenez d'agir, ce qui vous fait perdre l'occasion de former votre jugement par l'expérience. Votre irrésolution vous porte à vous retrancher du milieu social où vous ne vous sentez pas en équilibre. Votre manque d'assurance découle du défaut d'estime de soi et de confiance en soi. Il vous empêche d'apporter, dans les actes de la vie, la fermeté décisive indispensable à la réussite.

Ce défaut capital vous incline à reconnaître les droits de la force et de l'agressivité d'autrui. Il vous pousse à croire à votre propre infériorité en présence de gens que vous considérez à tort comme supérieurs. Il vous conduit à vous forger l'illusion d'atténuer vos responsabilités, soit en suivant l'avis des autres, soit en prenant systématiquement la position inverse.

Le manque d'assurance, si vous le laissez persister, finira par déterminer, chez vous, une tendance à donner une importance exagérée à vos actes personnels, même minimes, et à vous figurer que les gens ont les yeux fixés sur vous, qu'ils vous examinent avec attention. Si vous croyez que le reste du monde vous observe, que les gens vous regardent avec ironie ou malveillance, vous ne pouvez pas avoir la mine souriante, l'allure libre et dégagée, la parole aisée et sûre. Vous éprouvez fatalement une gêne, un trouble qui vous rend raide et guindé, qui vous empêche d'être vous-même et qui vous fait perdre contenance dans la rougeur et la confusion.

De défaite en défaite, l'homme qui n'arrive pas à conquérir devient ombrageux, susceptible, défiant: il repousse les avances des gens et se tient sur la défensive. En société, il tâche de masquer son trouble par un débit rapide, un ton bref, des manières brusques. Cependant, il n'arrive pas à garder la mesure dans ses paroles et dans ses gestes: il en exagère l'ampleur ou il les étrique, sans jamais donner une impression d'harmonie parce que l'esprit et le corps se trouvent en dissonance.

Pour sortir de cet état douloureux et déprimant, ne soyez pas trop conscient de vous-même; regardez-vous agir de haut, et non de près, ou bien votre vie sera misérable. Au lieu de vous isoler, oubliez-vous dans l'action. Voyez des gens pour vous sentir plus à l'aise. Familiarisez-vous avec l'étiquette sociale; cela vous aidera à modifier un état d'esprit trop nerveux et trop sensitif.

S'il vous arrive d'être confus et de manquer de perspicacité, soyez le premier à en rire: vous éprouverez de ce fait un soulagement; votre rire provoquera en vous une attitude plus saine. Allez de l'avant parmi la masse des individus, sans vous encombrer à leur égard d'une sotte estime et d'une sotte crainte.

Les gens s'observent généralement peu les uns les autres. Chacun accomplit sa tâche quotidienne presque sans voir et sans entendre ce qui se passe autour de lui. Le pouvoir moyen d'observation de chacun est très faible; vous devez en être certain. Ainsi, vous n'êtes pas exposé à être considéré comme un phénomène.

Pour triompher de la peur d'être ridicule ou de ne pas réussir, évitez de concentrer votre attention sur l'événement attendu ou redouté; sinon, il se réalisera automatiquement par la polarisation négative de votre pensée consciente qui déclenchera l'action motrice du subconscient.

Pour guérir le manque de confiance en vous-même, grossissez vos succès; diminuez l'importance de vos déboires. Ne vous critiquez pas trop; ne vous faites pas de reproches trop amers.

La conquête de l'estime de soi

Votre réussite dépend moins des circonstances favorables qui se présentent que de la mesure dans laquelle vous appréciez votre valeur, votre dignité, votre importance; bref, la place que vous tenez dans le monde.

La conquête de l'aplomb et l'exercice d'un commandement développent l'estime et la confiance que l'on doit avoir en soi-même. Ces qualités sont indispensables pour agir avec autorité et décision, c'est-à-dire pour ordonner aux autres d'une façon polie mais ferme et à soi, catégoriquement.

Pour conquérir l'estime de soi, vaincre le complexe d'infériorité qui la rabaisse, vous devez développer avant tout le sentiment de votre valeur personnelle, du rôle que vous avez à jouer et que vous êtes capable de tenir.

Ne vous hypnotisez pas sur vos défauts, vos lacunes, vos insuffisances; ils ne sont pas pires que ceux de vos voisins. Ne vous tourmentez pas trop si vous avez commis une erreur ou si vous avez fait un écart de conduite: de toute erreur, de toute faute, vous pouvez retirer un enseignement, un bénéfice. Accordez à ces faux pas juste ce qu'il faut d'attention pour ne pas y retomber.

Pour devenir indépendant du jugement des autres, amplifiez le sentiment de votre importance de façon à vous tenir en haute estime — par comparaison — et à devenir indifférent à l'opinion d'autrui à votre égard. Rien de ce que font les autres n'a de réelle importance à votre sujet. Ce qui compte, c'est ce que vous faites en personne; ne vous rendez pas timide en cherchant à savoir ce que les autres pensent de vous.

Ne cultivez pas le besoin d'apprécier les actions des gens, de les jalouser, de les envier ou de les dénigrer par esprit de basse critique. Ne vous comparez pas aux autres; ne vous occupez pas de ce qu'ils font par rapport à vous; pensez seulement à agir par vous-même.

Pour vaincre votre timidité, pensez à un acte que vous avez accompli en tremblant il y a quelques années, et vous sourirez de l'importance que vous attachiez alors à l'opinion des autres.

Dans la plupart des cas, ne prenez conseil que de votre jugement: faites que vos attitudes, vos décisions, vos actes méritent votre approbation, sans vous soucier de savoir s'ils auront celle de vos voisins. Vous pouvez parfois avoir intérêt à vous incliner sans bassesse devant l'opinion d'un groupe social, à vous y soumettre avec patience, au lieu de réagir par un sentiment de mauvais orgueil, de faux amour-propre, de sotte vanité.

La soumission s'accompagne alors d'un sentiment de dignité personnelle, de la grandeur et de l'importance de la mission que l'on doit accomplir et que l'on est capable de mener à bien. Dans d'autres circonstances, vous devez sentir et affirmer votre estime de vous-même, votre valeur active et intelligente par rapport à celle de la foule.

Tenez en haute et constante appréciation vos capacités, votre esprit, vos talents, votre expérience; mais parlez le moins possible de vous-même aux autres.

Ne vous vantez pas; ne vous dépréciez pas non plus. Oubliez-vous totalement, si vous le pouvez, dans les entretiens. Ne recherchez pas à tout prix l'opinion favorable des autres, la popularité, cette soupe chaude qui se renverse sur les genoux. L'opinion des autres à votre sujet doit être, pour vous, une faveur à ne jamais solliciter: les gens voient dans l'attitude du quémandeur, un signe de faiblesse. Or, la masse ne suit volontiers que les forts.

Surtout, ne vous plaignez pas dans l'espoir de vous faire consoler de vos revers ou de vos déboires: en vous apitoyant sur votre sort, vous augmentez votre découragement et vous diminuez votre énergie vitale. Au surplus, vous réduisez votre crédit auprès d'une audience de gens qui sont bien trop occupés de leurs affaires ou de leurs propres ennuis pour participer aux vôtres.

Pour renforcer en vous l'estime de soi, attachez du prix à tout ce qui vous appartient; prenez soin de tout ce qui vous concerne dans le domaine physique, moral et mental. Tenez en grande estime ce qui a trait à vos origines, à votre famille, à votre culture, à votre profession, à vos travaux. Faites de votre mieux et soyez content de vous, quoi qu'il arrive.

Comment obtenir la maîtrise de soi

Vous êtes timide parce que vous manquez de confiance en vous, de foi en vous-même; ce qui n'exclut pas une juste appréciation de vos capacités et de votre valeur.

Le manque d'aplomb, les tics nerveux, le bredouillement et les autres manifestations de la timidité viennent d'un déséquilibre intérieur que vous devez enrayer et combattre au plus tôt en cultivant la maîtrise mentale et physique de soi. Il s'agit de transformer votre caractère émotif et excitable en rendant actives les facultés qui procurent le calme, la confiance, le sang-froid, la maîtrise.

Si vous avez des difficultés de parole, si vous bredouillez, par exemple, c'est parce que vous vous préoccupez à l'excès de l'impression faite à ceux qui vous écoutent: vous êtes angoissé et votre élocution trébuche, d'autant plus que vous avez conscience d'articuler chaque mot. Pour être maître de votre parole, dont l'articulation doit demeurer automatique, vous devez pouvoir gouverner vos impulsions, vos réactions affectives, vos émotions et vos sentiments habituels.

La force de caractère et l'empire sur soi-même peuvent s'acquérir par la pratique d'efforts journaliers qui modifient les dispositions émotionnelles et les attitudes mentales mauvaises, jusqu'à ce que le sujet ait acquis le pouvoir de se dominer en toute occasion. La maîtrise de l'esprit et des nerfs suppose celle des pensées. Le bredouillement, entre autres, est un phénomène nerveux que favorise la diffusion des idées par manque d'attention volontaire, par insuffisance du pouvoir de concentration mentale.

Le défaut s'atténue si vous maintenez votre esprit centré sur le sujet de la conversation, ce qui arrive quand vous êtes vivement intéressé par ce sujet, et aussi quand vous fixez nettement votre pensée sur la réponse à la question que l'on vous pose, sans chercher des motifs ou des arguments en dehors de l'interrogation précise qui vous est faite.

En apprenant à commander à vos pensées, vous obtenez un pouvoir considérable sur vos réactions corporelles, tandis que la pratique de la discrétion et du silence empêche votre énergie vitale de se dépenser en réactions inutiles ou nuisibles.

La maîtrise de la pensée accroît la vigueur intellectuelle et la fermeté dans l'action; elle procure l'empire sur soi et sur les autres. Un cerveau bien organisé, bien portant, est une source d'idées gaies. Celles-ci envoient aux tissus organiques des excitations qui accélèrent les échanges dont ils sont le siège.

Les idées sombres et le mécontentement traduisent une peur chronique qui résulte de l'incapacité du sujet à fixer sa volonté sur un objectif unique, à l'orienter vers une activité définie qui l'absorbe. Ce souci permanent est le meilleur auxiliaire des troubles de l'émotivité. Pour le chasser, considérez d'abord si le remède à la question qui vous préoccupe dépend de vous. Si vous n'y pouvez rien, tournez-vous vers quelque chose à votre portée.

Dans ce dernier cas, si le problème peut seulement être résolu dans un avenir plus ou moins éloigné, laissez-le en repos jusqu'au moment décisif.

Le souci peut venir d'un excès d'analyse de soi-même: moins on pense à son mal, moins on l'éprouve. La guérison coïncide en général avec le moment où le sujet se libère des préoccupations qui amplifient ses troubles nerveux. Évitez l'auto-analyse morbide qui vous pousserait à vous rendre compte de vos sensations pour en jouir avec un égoïsme raffiné: vous ne tarderiez pas à devenir un écorché vif que blesserait la moindre impression pénible.

Si vous vous livrez à l'étude anxieuse de votre moi, au lieu de vous épanouir dans l'action et de vous oublier dans la lutte, vous rendrez votre personnalité non seulement désagréable pour les autres, mais ennuyeuse pour vous-même.

Votre imagination est un facteur de nervosité qu'il faut dompter et réduire au minimum par une discipline intelligente de l'esprit.

Après les repas, détendez-vous, fermez les yeux, ne pensez à rien. Éloignez de vous toute image; puis, fixez votre esprit sur une idée. Ensuite, arrêtez le cours de la pensée; enfin, relâchez l'imagination vers un point précis et proche.

Cet exercice tend à maîtriser l'imagination, à la guider, à faire penser vite et bien.

Pour rester jeune d'esprit, maintenez votre imagination claire et libre, ouverte vers le temps présent, mais indépendante. Vous profiterez des expériences du passé pour trouver des solutions aux problèmes actuels et pour envisager l'avenir avec confiance.

Le pouvoir d'enchaîner volontairement une attention vagabonde est à la base du caractère, du jugement et de la volonté; donc, de la maîtrise de soi. Faites une cure de concentration mentale en rappelant, chaque soir, à votre esprit, les principaux incidents du jour. Si quelques-uns d'entre eux ne se sont pas déroulés comme vous l'auriez voulu, faites l'effort de vous les représenter, en imagination, tels qu'ils auraient dû être.

En cas de bévue ou de maladresse, songez que les autres en sont tout aussi capables: personne n'est parfait, et il arrive à tout le monde de se tromper. Cet exercice quotidien développera votre confiance en vous-même; il vous conduira peu à peu à la maîtrise du vouloir.

Dans le même but, habituez-vous au calme et à la pondération dans les mouvements et dans la parole. Évitez les gestes trop vifs ou d'une trop grande ampleur, indices de nervosité et de confusion dans l'esprit. La sobriété et la précision du geste facilitent la maîtrise de la pensée exprimée en public. L'habitude de parler immobile, sans gestes, freine l'imagination; celle de penser avec une sage lenteur rend l'élocution plus nette.

Entraînez-vous à former des images mentales précises sans laisser vagabonder votre pensée; puis, à parler lentement en suivant très exactement l'idée, sans vous laisser détourner par les incidents possibles. Dans vos rapports avec le public, cette attitude vous habituera à porter votre regard à l'intérieur de vous-même. De la sorte, vous ne verrez pratiquement pas les yeux de l'interlocuteur ou des auditeurs, et vous ne serez pas tenté de fuir leurs regards.

Surtout, ne croyez pas que les gens vous scrutent avec une grande attention ou que vous êtes l'objet, de leur part, d'une surveillance hostile: ne tombez pas dans ce travers commun aux timides. Soyez convaincu du fait que les auditeurs n'ont pas d'idée préconçue à votre sujet.

Pour conserver votre capital d'énergie vitale et l'utiliser efficacement, organisez des automatismes grâce auxquels vos actes s'effectueront avec un minimum d'attention et de fatigue.

Évitez l'inaction, la rêverie, la torpeur qui engourdissent l'esprit et rouillent le corps; de même que l'agitation et l'énervement qui entraînent une usure excessive. Sachez vous reposer et vous détendre. Réglez l'activité et le repos en songeant que celui qui s'agite le moins produit en général le plus.

Ne vous abandonnez pas aux émotions violentes; fuyez-les autant que possible. Ne soyez pas indécis et tourmenté. Rétablissez le calme par le repos et la distraction jusqu'à ce que le moral ait repris son équilibre. Choisissez un genre de distraction active qui convienne à votre tempérament et non une distraction de hasard qui aboutirait à surexciter votre esprit, au lieu de le calmer, ce que vous devez éviter absolument.

Ne pensez pas outre mesure et sans nécessité; ayez une occupation accessoire qui occupe les muscles et repose l'esprit. Si vous recourez à la marche, prenez soin de laisser votre imagination en repos et de vous intéresser à ce qui se présente devant vos yeux.

Veillez à ne jamais vous presser dans les occupations courantes de l'existence: évitez la hâte et la tension, parentes du souci. La fébrilité dans le travail et le plaisir occupent, en effet, la deuxième place après les troubles émotifs, dans la fatigue nerveuse.

Pour demeurer maître de vous-même, n'ajoutez pas à votre tension en résistant d'une façon consciente au rythme de la vie moderne, ou en essayant de forcer l'allure pour mieux le suivre. Vous éprouveriez, dans l'un et l'autre cas, un sentiment d'insécurité et de fatigue. Ne faites qu'une chose à la fois, en vous concentrant sur cette chose; laissez attendre les autres. Cultivez la régularité et la patience, sinon vous deviendrez incohérent en pensées et en actions. Vous installerez en vous-même le désordre et la bousculade des gens qui commencent tout et qui ne finissent rien.

La maîtrise de soi libère l'esprit et calme les nerfs d'autant plus vite que l'organisme a été remis en état par le traitement physique des troubles émotifs.

Pour éviter l'agitation brouillonne et garder l'esprit clair, prenez l'habitude, chez vous, avant de vous endormir, d'analyser les organes de votre corps, l'un après l'autre. Ensuite, rappelez à votre mémoire vos actes de la journée. Puis, dressez le programme du jour suivant en imaginant comment vous allez agir pour faire face sans hésiter aux obligations qui vous attendent.

Le rappel sommaire des faits du jour et la prévision détaillée des actions du lendemain vous procureront une assurance et un calme surprenants.

La culture de l'audace

L'audace, le grand facteur du succès, comporte un mélange de fermeté et de douceur, d'activité et de raisonnement, de patience et de volonté. L'homme qui cultive l'audace raisonnée est franc à l'endroit de lui-même. Il s'avoue sans honte ses faiblesses et il est prompt à y remédier.

Dans la pratique, s'il est d'un naturel timide, l'audacieux se débarrasse d'abord de cette tare; ensuite, il se met en mesure d'agir, ou de suspendre l'action; il ne reste passif en aucun cas. L'audacieux, qui a perdu sa timidité et gardé sa réserve, sait se créer une raison de vivre: il remplace l'appréhension par la prévision; il prépare avec soin ce qui importe le plus; il cultive les émotions nobles qui tonifient le cœur et exaltent l'esprit.

Pour l'audacieux, le bonheur n'est pas essentiellement de posséder, c'est de lutter pour acquérir. Chez lui, l'optimisme, la certitude d'une réussite facile, le courage et la volonté surclassent les résultats que permet d'obtenir une intelligence exceptionnelle, mais plus éparpillée.

Pour cultiver l'audace, faites que votre activité s'inspire d'une doctrine, d'une conviction ou d'une passion profonde pour l'œuvre ou l'affaire entreprise. Luttez contre la rancune, l'envie, la jalousie, pour donner à votre esprit de l'envergure; puis, accomplissez ce qui vous fait peur: le courage viendra avec l'habitude et la crainte d'agir disparaîtra.

La volonté s'exprime par le pouvoir d'*attention,* l'esprit de *décision* et l'esprit de *combativité.*

La volonté se forme avec la personnalité tout entière par l'entraînement psycho-physique, car il faut disposer de réflexes mentaux organisés par avance pour soutenir l'action, c'est-à-dire pour maintenir la décision prise, achever la tâche, ne pas l'abandonner.

Affermissez votre volonté, par l'appui de l'enthousiasme pour le but poursuivi, la pensée de personnes chères ou disparues et par d'autres stimulants affectifs qui lui apporteront leur aide.

Disciplinez votre vouloir en appliquant les principes ci-après:

- Réglez exactement votre vie.
- Ne remettez pas au lendemain.
- Ne regimbez pas devant la tâche.
- Persistez dans vos résolutions.
- Concentrez votre attention sur l'instant où vous vous décidez à agir.

Vous faciliterez le passage à l'exécution en le préparant par un acte préliminaire connexe, destiné à vaincre la tendance au retard. Par exemple, décidez de compter jusqu'à tel chiffre ou d'attendre jusqu'à telle heure pour agir automatiquement, sans rémission.

Avant une démarche ou une visite, n'entretenez pas le vif désir de faire une impression favorable, d'obtenir ce que vous voulez: la crainte de l'échec vous rendrait hésitant et confus au dernier moment; vous vous montreriez sous un mauvais jour.

Dans une conversation que l'on n'a pas la possibilité de diriger, rien ne se passe d'habitude comme on pourrait être tenté de le croire. C'est pourquoi il est utile de préparer vos phrases. La surprise mettrait le désordre dans vos idées et votre embarras serait visible. Quelques minutes avant l'entrevue, détendez-vous, respirez profondément, ne pensez à rien ou pensez à des sujets agréables. Puis, présentez-vous avec calme, le cerveau lucide. Cela vaudra mieux que de prévoir en détail votre attitude et vos propos.

Pour libérer votre esprit de toute angoisse, donnez-vous des suggestions d'insouciance et de détachement. Vous avez fait de votre mieux; maintenant, la suite vous laisse indifférent, vous n'y pensez plus, vous l'acceptez comme elle viendra.

Cette attitude fataliste assure à l'esprit une entière liberté en le débarrassant de toute surcharge inutile; elle facilite au plus haut degré la tâche de la volonté active. Le grand obstacle à l'audace est, en effet, de se figurer que l'on va paraître insuffisant ou grotesque. Éliminez au plus tôt ce sentiment d'infériorité qui n'existe que dans votre imagination. Tous, quel que soit notre rang social, nous avons des lacunes et des travers. Chaque individu prête plus ou moins à rire; mais personne n'y fait attention, faute d'intérêt ou faute de temps.

Apprenez à lire à vue le caractère des gens, en même temps que le vôtre. Vous retirerez de cette étude une grande confiance en vos moyens et une assurance accrue. Soyez intrépide, en agissant à votre guise pour le mieux. Soyez content de vous, quoi qu'il arrive, même si les événements ne cadrent pas avec vos vues ou prévisions.

Dites-vous que tout importe peu au fond, et que tout finit par s'arranger; cette façon de considérer les choses favorise l'acquisition de l'audace et développe l'initiative. Vous êtes certain de réussir par la suite dans les idées, c'est-à-dire la ténacité calme, soutenue par des images dynamiques dans la ligne de votre ambition personnelle. Cette ambition est nécessaire; elle est le moteur puissant qui mène au succès.

Pour cultiver l'audace, attachez-vous à contrôler l'exécution de votre travail, à voir si vous avez été naturel dans votre conduite et si vous n'avez pas dispersé vos efforts.

Quand vous procédez, le soir, à la revue des activités de la journée et à la planification des tâches du lendemain, rappelez-vous les circonstances dans lesquelles vous avez éprouvé de l'angoisse ou du trouble. Remontez à la cause; revoyez en image la scène telle qu'elle aurait dû avoir lieu. Dites-vous qu'il y a un progrès certain et que votre audace va croissant.

Notez que la fortune, les égards, la considération d'autrui préviennent l'éclosion de la timidité. Notez aussi que l'on devient aisément ce que l'on s'efforce de paraître. Par exemple, le fait d'être bien habillé développe, sur le plan physique, une sorte d'orgueil qui engendre de l'assurance, de l'aplomb, de l'audace. Ayez au moins un détail recherché dans votre habillement: cravate, chaussures, etc., afin d'utiliser ce moyen mécanique d'accroissement de l'estime de soi et de la confiance en soi. Portez des vêtements corrects, d'une élégance sobre: votre apparence extérieure joue un rôle dans la façon dont les gens vous jugent de prime abord; cela les met en confiance ou en défiance.

Ayez une allure souple, une attitude aisée, un maintien digne, une démarche retenue. Agissez avec calme, et même avec lenteur. Évitez toute crispation des muscles en général, des doigts, des lèvres, des paupières et des traits du visage, en particulier. Ces signes d'excitation nerveuse et d'agitation mentale disparaissent par la culture méthodique de la maîtrise de soi et de l'audace raisonnée.

Prenez l'habitude d'avoir le regard franc et direct, en relevant la tête et en fixant les yeux droit devant vous, assez loin. Ainsi, vous ne serez pas porté à baisser la tête et à détourner le regard en face des gens; ce qui pourrait les faire douter de votre droiture.

Pour dissiper les fantômes de crainte et de tourment, cultivez l'esprit de bienveillance universelle qui vous donnera l'humeur douce et sereine, la foi en l'homme et la foi en votre propre mérite pour le servir. Ne vous effacez pas pour autant devant les autres. Ne dérobez pas votre personnalité, au lieu de l'affirmer en face d'eux. Si la réserve discrète reste une qualité, la modestie est, de nos jours, une fausse vertu.

Dans le courant de la vie quotidienne où l'on a constamment des petits problèmes à résoudre sur l'heure, habituez-vous à l'action rythmée; c'est un excellent moyen de cultiver l'audace en utilisant les agents actifs d'amélioration morale et mentale.

Utilisez le pouvoir de l'autosuggestion, étudiez son mécanisme, la façon d'utiliser sa puissance pour agir favorablement sur vous-même et sur les autres, pour vous rendre sympathique, pour augmenter votre audace, votre capacité de décider et d'agir.

La pratique de l'autosuggestion

L'autosuggestion est la suggestion que l'on s'impose à soi-même. Le mécanisme est le même que celui de la suggestion; ses effets sont identiques. Les idées que le subconscient accepte finissent par se transformer en action.

L'autosuggestion fortifie la confiance en soi, accroît la volonté, aide à guérir la maladie, réforme le caractère en remplaçant les mauvaises habitudes par des habitudes meilleures.

La timidité est une mauvaise habitude qui fait douter de soi, émousse l'énergie, épuise la force nerveuse et fait manquer l'occasion du succès. Il faut s'en débarrasser et la remplacer par l'audace et l'initiative. À cet effet, il faut recourir à l'autosuggestion qui donne des résultats surprenants pour peu qu'on l'applique avec persévérance.

Pour réprimer la timidité et le trac, troubles psychologiques d'émotivité excessive, préparez d'abord des formules de suggestion positives et constructives, c'est-à-dire réconfortantes, claires, courtes et décisives, sans être comminatoires. N'employez pas de formules négatives. Par exemple, dites: «*Je suis maître de moi*», et non: «*Je ne suis plus timide*». Ne niez pas votre état, mais affirmez les qualités opposées. Évoquez en même temps l'image d'un sujet agissant maître de lui.

Les moments les plus favorables pour employer cette méthode sont le soir, étant couché, avant de s'endormir; la nuit, si l'on se réveille, et le matin, avant de se lever. Dans la journée, on peut s'isoler, prendre une position confortable, se mettre bien à l'aise, assis ou couché, détendre à fond ses nerfs et ses muscles, faire le calme dans son esprit et chasser toutes les pensées étrangères.

Au bout de quelques minutes, quand vous êtes suffisamment calme, maintenez dans votre esprit la pensée que vous suggère la phrase suggestive choisie. Commencez par vous représenter la première lettre, puis la deuxième lettre, le premier mot et les mots suivants de votre phrase, dont vous obtiendrez la vision complète.

Ensuite, remplacez dans votre esprit les mots par les choses qu'ils représentent, en leur donnant une forme matérielle aussi précise que possible. Il faut se voir soi-même comme si l'on était déjà ce que l'on souhaite devenir, se figurer que l'on possède les habitudes que l'on veut prendre, les avantages que l'on désire et se les représenter sous une forme agissante.

Par exemple, imaginez-vous ce que vous feriez, ce que vous diriez, quelle serait votre attitude si vous accomplissiez un acte défini pour lequel vous avez besoin d'énergie et d'audace. Figurez-vous que vous êtes en train d'accomplir cet acte; et quand vous aurez vécu ce rêve un temps suffisant pour en imprégner votre subconscient où l'imagination règne en maîtresse, répétez lentement vingt fois de suite et plus même, votre formule de suggestion, avec ferveur et insistance, dans une attente confiante, sans effort de volonté. N'oubliez pas que le manque de confiance et l'excès d'effort réduisent l'effet de la suggestion.

Après la suggestion, ne manquez pas de vous détendre et de vous détacher de vous-même.

Pratiquez cet exercice cinq minutes chaque soir avant de vous endormir, dans un état de détente et de méditation voisin de la somnolence.

Faites-le aussi le matin au réveil, et la nuit pendant les heures d'insomnie ou de demi-sommeil, alors que le subconscient est prêt à recevoir les suggestions. Si vous le pouvez, recommencez l'exercice deux ou trois fois pendant cinq minutes par séance.

Il faut surtout créer des images dans votre esprit, en répétant, comme le ferait un acteur, le rôle que vous vous proposez de jouer. Les résultats se révèlent progressifs, mais ils sont certains si l'effort est soutenu. Bientôt, vous entreprendrez avec succès ce que vous n'auriez pas osé tenter quelques jours auparavant. Les tendances de la crainte, de la timidité disparaîtront; votre état d'esprit habituel sera changé.

Pour combattre de cette façon la timidité et le trac, vous pouvez utiliser, tour à tour, les suggestions courtes ci-après:

- Je respire bien, je respire de plus en plus profondément, je suis calme (détente physique et mentale).
- J'acquiers chaque jour un calme de plus en plus grand, je contrôle parfaitement mes émotions.

- Ma volonté est ferme, je me sens de plus en plus énergique, je suis sûr de moi.
- Je manifeste de plus en plus d'assurance, j'ai confiance en moi, je suis à l'aise en face de qui que ce soit.
- Je suis imperturbable, je garde mon sang-froid en toute circonstance.
- Ma sensibilité est normale, tout spectacle ou lecture me laisse impassible et serein.
- Je ne me sens inférieur à personne, j'ai une confiance justifiée en moi.
- Je suis sans appréhension, il m'est indifférent de me produire en public.
- En présence des gens, je suis à l'aise et en pleine possession de mes moyens.
- Ma tranquillité d'esprit est parfaite devant n'importe quel public.

Vous pouvez composer d'autres formules à votre convenance, d'après le principe qu'il faut toujours suggérer les contraires du défaut ou de la mauvaise habitude à éliminer.

Alors que l'effronté spécule sur l'émotivité et la générosité d'autrui, le timide est hésitant, irrésolu, craintif, sensitif, inconsistant, versatile, humble, honteux, déconcerté, confus, interdit, rougissant.

L'hésitation du timide se manifeste sous l'une des formes suivantes: indécision, incertitude, fluctuation, tergiversations, embarras, irrésolution, perplexité, doute, tâtonnement, flottement, etc.

La crainte du timide apparaît comme appréhension, saisissement, insécurité, effacement, stupeur, panique, affolement, trac, manque de courage, confusion, anxiété, angoisse, embarras, frémissement, alarme.

À l'opposé du timide, l'audacieux est décidé, déterminé, courageux, entreprenant; de sorte que les états d'esprit à suggérer pour acquérir l'audace seront les suivants:

Audace: Assurance, sentiment de sécurité, hardiesse, décision, résolution, intrépidité.

Confiance: Tranquillité d'esprit, assurance motivée par une aide définie ou par la certitude morale du succès.

Fermeté: Assurance dans le maintien, la voix, le regard, le geste.
Courage: Vaillance, ardeur, énergie, cran.
Sang-froid: Calme, complète maîtrise de soi.
Aplomb: Assurance que rien ne déconcerte.

Comme méthode de discipline mentale, vous pouvez employer la suggestion graphique, car l'écriture copiée, l'écriture volontaire, est un puissant moyen de suggestion. Faites un choix de pensées, de phrases, de suggestions motrices propres à développer les états d'esprit contraires à la timidité et au trac.

Dites à haute voix, avec expression et en articulant bien: «J'ose, je veux, je peux», ou toute autre suggestion plus détaillée, plus complète. Écrivez ensuite plusieurs fois ce même texte, d'une écriture appliquée, régulière et énergique, pendant huit ou quinze jours, de préférence le matin ou le soir avant de vous coucher.

Employez aussi la suggestion associée aux exercices respiratoires quotidiens pendant lesquels vous vous représentez parfaitement détendu et à l'aise en toute circonstance.

La culture physique contribue puissamment à guérir la timidité parce qu'elle développe l'énergie, l'assurance, la confiance en soi.

Pour rendre l'autosuggestion plus efficace, enregistrez vos formules sur un magnétophone qui vous les répétera quand vous voudrez et où vous voudrez. Utilisez la suggestion audiovisuelle en écrivant vos formules, en grosses lettres, sur un carton que vous placez devant vous ou au pied de votre lit avant de vous endormir, pour lire les formules en même temps que vous les répétez à mi-voix. Employez la suggestion auditive-visuelle-motrice par l'écriture, pour développer votre volonté et influencer votre subconscient.

Choisissez à cet effet des pensées, des phrases, des suggestions motrices de redressement adaptées à votre cas et qui tendent à contrôler le psychisme, la voix, les gestes en vue de la maîtrise de soi-même et de la vie.

Écrivez ces textes avec soin, en gros caractères, sur des feuillets séparés; puis, lisez-les d'une voix forte, nette, avec les inflexions qui correspondent à une émotion saine dirigée, et non à un état émotionnel impulsif.

Le geste répété et contrôlé renforce la pensée ou l'émotion: faites les gestes qui dénotent la volonté, l'endurance, la ténacité, l'audace réfléchie. Raisonnez ces gestes, de manière à exprimer par une mimique de tout le corps les sentiments contraires aux états d'âme qui provoquent et alimentent votre timidité.

De même, dans vos formules de suggestion consciente, affirmez les dispositions contraires à celles qui vous rendent timide et faites suivre chaque formule du motif de son affirmation. Ne dites pas: «Je ne suis pas ému, je ne suis pas troublé, je ne suis pas timide»; cela fixerait vos idées sur le sujet de votre angoisse et refoulerait simplement votre émotion.

Représentez-vous calme, détendu, sûr de plaire, parlant d'un ton naturel et sans aucun trouble. Suggérez-vous verbalement cette image mentale, en répétant que vous être assuré, tranquille, sans inquiétude et que votre parole est facile, convaincante.

Ayez confiance en l'avenir et en votre valeur personnelle. D'autres se sont guéris de la timidité. Vous en triompherez comme eux afin d'être réellement vous-même. Vous vous jugerez digne d'être remarqué. Vous ne craindrez plus de paraître inférieur à votre réputation ou à la renommée que vous désirez avoir.

L'entraînement psycho-physique rendra votre personnalité plus hardie, plus vaillante, plus ferme. Vous aurez plaisir à agir, à réaliser, à attirer l'attention des autres. Vous retrouverez le rythme puissant et soutenu qui donne la joie de vivre.

TABLE DES MATIÈRES

imprimerie gagné ltée

IMPRIMÉ AU CANADA